A genealogia da moral

Dados Internacionais de Catalogação na Publicação (CIP)
(Câmara Brasileira do Livro, SP, Brasil)

Nietzsche, Friedrich Wilhelm, 1844-1900
A genealogia da moral / Friedrich Wilhelm Nietzsche ; tradução de Mário Ferreira dos Santos. – Petrópolis, RJ : Vozes, 2017. – (Vozes de Bolso)

1ª reimpressão, 2017.

ISBN 978-85-326-5353-6

Título original: Zur Genealogie der Moral

1. Ética 2. Filosofia alemã 3. Nietzsche, Friedrich Wilhelm, 1844-1900 I. Título. II. Série.

09-06242 CDD-170

Índices para catálogo sistemático:

1. Filosofia moral 170

Friedrich Nietzsche

A genealogia da moral

Tradução de Mário Ferreira dos Santos

Vozes de Bolso

Título original em alemão: *Zur Genealogie der Moral.*

Rua Frei Luís, 100
25689-900 Petrópolis, RJ
www.vozes.com.br
Brasil

Editoração: Fernando Sergio Olivetti da Rocha
Diagramação: Sheilandre Desenv. Gráfico
Revisão gráfica: Nilton Braz da Rocha
Capa: visiva.com.br
Arte-finalização de capa: Ygor Moretti
Ilustração da capa: O sacrifício de Isaac, 1603.
Caravaggio. Localização: Galeria dos Ofícios. Florença, Itália.

ISBN 978-85-326-5353-6

Editado conforme o novo acordo ortográfico.

Este livro foi composto e impresso pela Editora Vozes Ltda.

Sumário

Da interpretação à tradução
Nota sobre a edição de *A genealogia da moral*

O tradutor de *A genealogia da moral*, Mário Ferreira dos Santos, foi provavelmente um dos maiores filósofos brasileiros do século XX. Autor de mais de quarenta livros, fora um acervo inédito que beira as dez mil páginas, Santos permaneceu a vida inteira à margem do campo intelectual brasileiro de raízes universitárias. Era a única maneira, afirmava, de manter sua independência - muito próximo da postura de Schopenhauer de viver "para" a filosofia e não "da" filosofia.

Mário Ferreira dos Santos nasceu em Tietê, SP, em 1907. Mudou-se ainda criança para o Rio Grande do Sul, onde se formou em Direito. Trabalhou durante algum tempo na livraria e editora Globo, de Porto Alegre, onde realizou as primeiras traduções da obra de Nietzsche, filósofo a quem dedicou vários estudos sem, no entanto, se tornar um comentarista ou continuador.

A originalidade, aliás, logo se tornaria a marca de Mário Ferreira dos Santos. De volta a São Paulo, no início dos anos de 1940, tornou-se professor particular de Filosofia - e começou também a escrever suas primeiras obras sobre o assunto. Por falta de interesse das editoras existentes, criou sua própria editora, a Logos, por onde começou a publicar suas obras.

Sua filosofia tem a marca de uma síntese original entre as influências mais díspares, combinando Nietzsche, Pitágoras, a Escolástica e a Fenomenologia, sem dispensar as contribuições da filosofia hegeliana em uma busca constante pelos fundamentos do conhecimento humano – a *mathese* dos pitagóricos – e à compreensão da totalidade.

Entre os anos de 1940 e de 1960 publicou os mais de trinta volumes de sua *Enciclopédia das Ciências Filosóficas*, um vasto afresco da filosofia, onde procurava os fundamentos lógicos e dialéticos de todo o conhecimento humano em uma síntese concreta.

Além das aulas de Filosofia, ganhava a vida com o *Curso de Oratória e Retórica*, carro-chefe da editora, que lhe deixava livre para continuar suas pesquisas em filosofia. A insistência em se manter à margem do mundo acadêmico lhe valeu o silêncio dos contemporâneos e a ausência de discípulos ou continuadores.

Após sua morte, em 1968, o acervo ficou espalhado na residência de suas filhas e apenas aos poucos está sendo reorganizado pelo esforço conjunto de vários pesquisadores espalhados pelo Brasil.

Tudo indica que esta tradução de *A genealogia da moral* foi feita ainda em seu período rio-grandense. Feita diretamente do alemão, procura ao máximo manter os traços da prosa poética de Nietzsche, destacando-se o alto padrão do vocabulário utilizado. *Vale lembrar que Mário Ferreira dos Santos dava total importância ao sentido correto dos termos em filosofia, tanto em seus livros quanto em suas traduções, preferindo utilizar uma grafia por vezes arcaica em nome da precisão e da clareza. Essas características, na medida do entendimento, foram mantidas.*

Anos depois, a par de seus trabalhos sobre ética, metafísica, teoria do conhecimento e tantos quantos forem os campos da filosofia, Mário reuniu uma série de ensaios sobre Nietzsche em um livro intitulado *O homem que nasceu póstumo*. A ideia desses ensaios era no mínimo original: em vez de uma exegese de trechos da obra do filósofo alemão, Mário escreveu em primeira pessoa, como se o próprio Nietzsche estivesse respondendo às questões e objeções que lhe eram propostas. Desse livro, esgotado há mais de quarenta anos, são apresentados aqui o prefácio - onde Santos explica seu método de trabalho com a obra de Nietzsche - e um capítulo intitulado "O tema da moral", no qual discute alguns pressupostos da *Genealogia da moral*. Esses trechos servem como uma espécie de prefácio a esta tradução.

No trabalho de organização desta edição de *A genealogia da moral* foram cotejadas as duas edições impressas por Mário em vida. No entanto, vale ressaltar que o filósofo brasileiro nunca se preocupou muito com a organização específica de sua obra, de maneira que não há registros exatos - nem nos livros, nem em sua correspondência pessoal - das condições em que foram feitas essas edições e traduções.

Mais do que um tradutor, Mário Ferreira dos Santos foi um intérprete de Nietzsche, a quem lia com olhos críticos treinados no pensamento pitagórico e escolástico, bem como sob a ótica de um método original de filosofia. É esse o trabalho que o leitor tem em mãos.

Luís Mauro Sá Martino

Prefácio do tradutor

O homem que nasceu póstumo surgiu de uma série de pedidos que recebemos para apresentarmos a obra nietzscheana, juntando os aspectos contraditórios dos seus temas, e ficando as "predominantes", a fim de permitir uma melhor inteligência. Desde logo se vê que seria impossível abordar todos os temas. Por isso escolhemos alguns, precisamente aqueles que têm oferecido maior problemática e mais polêmicas. No futuro, se tivermos a apoiar-nos a boa vontade do leitor, continuaremos nossa já iniciada em "O homem que foi um campo de batalha", que publicamos como prólogo da tradução de *Vontade de potência*, editada pela Livraria Globo.

Quanto àquela tradução, fundamo-nos na obra publicada por Elisabeth Foerster Nietzsche. Esperamos, no futuro, poder dar uma tradução do texto aumentado pelo *Nietzsches-Archiv*, mas acrescentado de novas notas esclarecedoras.

Aproveitamos aqui o momento para agradecer à crítica brasileira e à estrangeira que recebeu com aplausos o nosso trabalho. Apenas desejaríamos fazer uma simples anotação a alguns críticos que julgaram demasiado o número de nossas notas. Entretanto, se estivessem eles a par das inúmeras cartas que recebemos, das inúmeras perguntas que nos foram dirigidas, saberiam que aquelas notas eram ainda parcas, porque muitos aspectos da obra não são de fácil compreensão. Numa edição completa desse livro teremos oportunidade de acrescentar ainda mais notas que corresponderão às dúvidas surgidas, e que nos foram endereçadas.

No livro *O homem que nasceu póstumo*, usamos uma técnica diferente. Levando em parte o terreno da ficção, fizemos Nietzsche falar sobre sua filosofia. Aproveitamos as suas ideias, muitas das suas frases para tornar inteligíveis aqueles temas mais difíceis. Basta que se leia a interpretação que se fez de sua obra, e até por grandes nomes do pensamento universal, para que se compreenda que, ao procedermos como o fizemos, nos colocamos na maneira mais acessível para a boa compreensão da mesma. Nietzsche nunca usaria o nosso método. Sua obra é fragmentária, e ele gostava de permanecer no fragmentário e entre seus símbolos. Se procuramos tornar seus temas mais claros, mais acessíveis, não se entenda por uma "vulgarização" que ofenderia ao próprio Nietzsche, pois sempre respeitamos a sua dureza, a sua implacabilidade e fidelidade de seu pensamento. Apenas suavizamos essa dureza, tanto quanto nos foi possível, no intuito de permitir que seus temas pudessem ser apresentados coordenadamente, já conciliados através das suas contradições.

Dessa forma, respondemos com antecedência à acusação fácil que nos fariam os que não compreendem que Nietzsche, para ser lido, exige esse trabalho de exegese e de ordem, sob pena de sua obra oferecer mais perigos que vantagens.

Desde que se considere que o fragmentário de sua filosofia tinha mais profundas raízes em sua constituição psicológica, compreender-se-á facilmente por que o reduzimos a uma ordem, que não é propriamente a sua, mas que em nada nega o seu pensamento, nem atenta à fidelidade.

O tema da moral

Nietzsche, o imoralista! Nietzsche, o destruidor da moral, o "degenerado" e "bárbaro devastador", o "monstro da maldade", o "filho do satã"... Toda a literatura mundial está cheia dessas exclamações. Todos os que não o entenderam, piedosamente, juntaram à fogueira da filosofia sua lenhazinha de acusação. Contra Nietzsche se elevam em coro as vozes de todos os que não leram as suas obras, com as dos que não estiveram à altura de compreendê-las.

No entanto, o "monstre", *que morreu nos alvores do nosso século, está presente, vivo, aí, em todo o pensamento dos nossos anos que não puderam desviar-se da órbita traçada por ele.*

Dos temas com que Nietzsche formou a espinha dorsal de sua filosofia, o da moral é um dos mais presentes, por que ele foi também o grande moralista e analista da moral, e o rebelado ante a sua improcedência.

Ele rebelou-se contra a moral cristã, para ele uma moral de calúnia, essa moral que fugia do homem verdadeiro para transformá-lo apenas num vencido, num odiador da vida, num conformado.

Na moral burguesa que se instalava, Nietzsche viu a decadência da moral como decadência do cristianismo. Os últimos valores nobres se perdiam ante o burguês "prático", concupiscente, voraz, mesquinho.

Nietzsche não suportava, não tolerava, não transigia nunca com o realismo ontológico, o platonismo de que estava eivado o idealismo em geral, e, especialmente aos seus olhos, o cristianismo. Toda filosofia, não resta dúvida, sofre, necessita e precisa da abstração. Nisto ela tem algo de platonismo. Nietzsche exagerava tanto quanto possível em não condescender nunca com esse abstracionismo peculiar e necessário da filosofia. Como o cristianismo o acentuava vivamente, sua repulsa era ainda maior.

Por outro lado, deve-se ainda salientar que Nietzsche, em sua crítica ao cristianismo, precede romanticamente a Rousseau, e não nas pegadas iluminísticas de Voltaire, do Aufklaerung *que via no cristianismo apenas o monstro feroz e sanguinário, o Torquemada, os Cruzados, os Pizarros, o assassínio dos albigenses. Nietzsche, como Rousseau, via no cristianismo o desvirilizador dos homens, o caluniador da vida. Ele que tentou rebelar-se contra o romantismo, que desejou ultrapassá-lo – e ultrapassou-o em muitos aspectos – foi, no entanto, um romântico nessa luta.*

Para Nietzsche a Igreja traíra Cristo. Este fora o primeiro e o único cristão. A Igreja não quis cumprir os seus mandamentos nem quis imitá-lo, e se o cristianismo para ele era um produto de ressentimento, excluía, no entanto, a figura de Cristo que, para ele, era isento de ressentimento.

A exagerada justificação ***pela fé*** *era uma consequência de a Igreja negar-se, por falta de coragem e de vontade, a cumprir a obra de Jesus. "O cristianismo é alguma coisa de diverso do que se tornou, do que fez e quis o seu fundador [...] Jesus após uma* ***verdadeira vida*** *[...]*

Nada tão distante dele que o estúpido absurdo de um Pedro eternizado, de uma eterna sobrevivência da pessoa. Jesus tende diretamente a criar 'o Reino dos Céus' no coração e não encontra os meios na observância dos ritos da Igreja judaica." Ele não tomava em nenhuma consideração as fórmulas nas relações com Deus; para ele, a religião é puramente interior.

O cristianismo segue assim a filosofia antitelúrica de Sócrates que Platão difunde. Mas esse espírito existe no homem que vive contraditoriamente, esse impulso centrífugo de se exilar da terra como o impulso centrípeto de viver nela e adormecer em seu sono último.

Para Nietzsche, o verdadeiro exemplo de cristianismo está em Pascal, a quem ele tanto admirava, cuja "destruição" ele nunca perdoara. A angústia pascalina é uma deformação do cristianismo. Nietzsche já o havia compreendido; no entanto, em sua crítica, viu no "s'abétir" *de Pascal, o exemplo mais típico do verdadeiro proceder cristão.*

É preciso, contudo, ser-se justo. Se não procedem as acusações que os seus adversários lhe fazem, também não procedem as que fazia aos outros. Se não é Nietzsche o "louco degenerado", porque havia grande religiosidade em sua alma, como o demonstrou em "Zaratustra", e *tivemos naquela obra oportunidade de provar, se ele não "podia crer", na verdade, o de que descria era a caricatura que ele formava, seguindo, neste ponto, as influências de tantos inimigos do cristianismo. E, aqui, foi ele bem frágil e "bem rebanho", pois deixou-se acaudilhar por todos os grandes acusadores que infamaram, através dos tempos, uma religião que, se deu homens que não estavam à sua altura, não deixa, contudo, de representar o que de mais alto o homem conheceu.*

Tinha ele uma visão deformada da moral cristã, e confundira as grandes virtudes pregadas pelo cristianismo com as formas viciosas com que elas surgiram através dos tempos, as quais não refutava, aquelas, mas apenas demonstravam a natural fraqueza do homem, tão facilmente arrastado às falsificações.

O cristianismo não é algo diverso do que Cristo pregou e Cristo fez. É apenas isso e nada mais. Se somos fracos, e não cumprimos essa lição, a culpa é do homem e não da sua doutrina.

Pode-se refutar alguns cristãos, não o cristianismo. E entre os cristãos é preciso compreender a grandeza de um São Francisco de Assis, de um São Vicente de Paulo, e tantos outros, cuja vida é um exemplo do que de mais alto pode alcançar o homem.

Se Nietzsche se dedicasse ao estudo da ética cristã, se demorasse um pouco no estudo da obra de seus grandes autores, dos seus grandes filósofos, teria compreendido o que não entendeu e não teria contribuído para mais uma falsificação.

Para quem não compreende profundamente o sentido do cristianismo pode julgar que Pascal representava o ápice. Não nos cabe negar o valor que tem. Não é porém em bestializar-se que o cristão se realiza plenamente. Porque a realização suprema do cristão é erguer-se na luz, na superação humana, para alcançar o mais alto e mais grandioso que está além de nós.

Foi considerando tais aspectos de sua filosofia que eu lhe dirigi a palavra nestes termos:

– Para mim, foi o sr. profundamente ético em sua crítica à moral cristã. Nunca o senti um destruidor total, mas quem procurava, no seu ataque, mais construir do que destruir. Não sei se isso lhe agradará, mas o interpretei assim. Quando enumerei os graus da força criadora, coloquei o legislador, o filósofo no cume da hierarquia. O artista e o conquistador, situei-os muito abaixo. Para mim, o filósofo é um artista, é um conquistador, é um legislador também. Múltiplo, ele encerra em si toda a gama dos graus superiores da força criadora, porque, na verdade, só o filósofo cria.

Esse descobridor de valores, esse inventor de valores – e sempre empreguei esse termo em seu sentido mais clássico – é um criador porque, ao estabelecer um fim diferente, ele modifica os meios.

Já disse que ao querer a transmutação dos valores não os quis substituir pelos valores polarmente contrários.

Não preguei um retorno à natureza primitiva do homem, e o meu imoralismo não foi uma inversão de valores, nem quis desencadear no homem a besta que dizem viver-lhe no âmago. Além disso, não calunio o homem ao julgá-lo apenas um monstro enjaulado pela vontade e pela educação. O meu homem natural não era o romântico rousseauniano nem o monstro dos cristãos.

Não falei numa seleção que lentamente realizaria no homem o super-homem?

Não vi no homem a ponte entre a besta e o super-homem? Como poderia o meu super-homem ser a besta? Mas era o super-homem que potencialmente existe encadeado na besta. Não disse eu em *Aurora*: "Não nego que se deva evitar e combater muitos dos atos tachados comumente de imorais e igualmente que se deve também favorecer e realizar outros que são considerados morais. Mas num e noutro caso não é pelas razões que são geralmente considerados".

O homem criador é o homem livre, e só na plena realização da sua liberdade é ele criador, porque só há criação onde há liberdade. O exercício da liberdade torna o homem criador, embora não seja ela alcançável por todos, porque não basta dizer aos homens que são livres para que se tornem realmente livres e criadores. Se muitos nunca poderão exercitar a liberdade, a culpa não é da liberdade – essa bela palavra que só deixa de ser palavra quando é praticada e se torna ato –, mas do homem que a teme. E quem teme a liberdade nunca é criador. E a primeira libertação do homem está em libertar-se de si mesmo, essa luta imensa que travamos dentro de nós mesmos, contra todos os nossos demônios, guardados por séculos e séculos, que se manifestam nos preconceitos ferozes.

E esses preconceitos tecem a teia de aranha da metafísica moral. E a luta ingente que empreende o homem, que quer ser livre, pela conquista de sua liberdade, é uma luta contra a moral estratificada. Esse grande ato de libertação realiza o grande imoralista, o vencedor de si mesmo, aquele que compreende que tem sido apenas o amante de si mesmo, e que se despreza, mas, ao desprezar-se, ergue-se acima do desprezo pelo desprezo do desprezo, e cria, pela vontade e pela força, a liberdade interior.

Sempre compreendi que a moral tem por função tornar possível a vida comunitária. Todo rebanho é moral, todo rebanho precisa de uma moral. Mas aqui devemos examinar bem o que eu queria dizer, o que eu compreendia e que poucos compreenderam. Essas regras societárias são prescrições necessárias, de utilidade social, e trazem o cunho de sua época. Não são imutáveis nem eternas, nem sobrenaturais nem perfeitas, mas criadas pelos homens para regularem entre si as suas relações, impostas pelos chefes aos subordinados, pelos dominadores aos dominados. Nem sempre há uma justificação para essa nova ordem, que se apresenta como uma "ordem moral", "um imperativo moral", emanada de um Deus que a justifica.

Essa moral heterônoma, imposta, escolhida pelos dominadores, imposta pelo passado e predominante no presente pela vontade dos que representam os interesses do passado, é odiosa para mim. Quis substituir o "tu deves" pelo "eu quero". O homem não é homem enquanto não puder praticar este grande ato de liberdade, que o tornará senhor de si, quando respeitará a dignidade alheia por amor à sua própria dignidade, e assim o fará porque quer e não porque deve.

Aos que afirmam que o homem é incapaz de atingir esse reino de liberdade, replico-lhes que é a sua fraqueza que fala através de suas palavras.

Reconheço, e sempre disse que é preciso ser imensamente forte, ter mais força que um leão, para vencer a resistência da cadeia dos preconceitos e deixar-se guiar pela própria consciência e criar para si uma moral autônoma, uma moral de homem livre.

As virtudes, disse eu, são tão prejudiciais como os vícios quando permitimos que elas reinem sobre nós impostas de fora, como uma autoridade e uma lei, em vez de produzi-las nós mesmos. Expressei sempre minha simpatia pela moral autônoma, pela moral livremente aceita e livremente realizada, e reconheci também que os fracos são precisamente aqueles incapazes de encontrar em si a liberdade, essa liberdade criadora.

Todo o homem livre é criador, e precisa criar, porque a criação é a sua segunda natureza, sua alegria, sua própria vida; mas os *bons* querem que o antigo subsista. Todo inovador é um blasfemo, é um derruidor de ídolos, um infamador, um corruptor dos valores sacrossantos.

Eu já disse que o que é tachado de *bom* foi antigamente uma novidade, isto é, julgado imoral. Já disse que nenhuma forma que tome o bem e o mal é eterna. Nem tampouco devem ser eternas. Elas devem proliferar, crescer e transformar-se. É um ato de violência querer estabelecer o bem e o mal. Todo o bem e todo mal correspondem apenas ao interesse dos *bons*, dos dominadores, por isso põem eles tanta força e tanto entusiasmo em sua moral, e proclamam-na com tanta paixão. Vejam todas essas grandes palavras. Elas encerram sentidos diferentes. Amor, justiça, honradez, prudência têm hoje o sentido de outras eras? Não; os novos dominadores conservam os mesmos invólucros, mas mudam o conteúdo; eles também são inovadores na moral, mas, quando dominam, tornam-se conservadores do passado.

Muitos julgaram que o querer criador, que a liberdade criadora, fosse um impulso desenfreado. Em meu *Além do bem e do mal* e em meu *Zaratustra* sempre afirmei que somos "homens do dever". Não quero me justificar porque dispenso as justificações. Como poderiam eles compreender esse grande amor, esse amor extraordinário que criaria os homens do futuro, que sempre desejei e neles acreditei sempre.

Sou feliz, escrevi eu, ao verificar que os homens recusam pensar na morte. Meu maior desejo seria tornar a vida ainda cem vezes mais digna de ser o único objeto de seus pensamentos. Vontade criadora e bondade é uma só e mesma coisa. E disse mais: A felicidade está no crescimento da originalidade individual. Tiranizar a outrem é empobrecer a si mesmo. Gozar da originalidade dos outros, sem cair nunca na imitação servil, este será talvez um dia o símbolo de uma civilização nova.

Essa a minha moral, a moral de um homem livre, daqueles que desejam realizar o supremo mandamento dos homens livres: "fazer de si uma personalidade completa".

Na história dos seres vivos, o indivíduo foi o mais gigantesco dos acontecimentos, porque o indivíduo é um ser inteiramente novo e criador de novidade. Sei que são poucos os livres hoje, mas sempre afaguei a esperança de que, em mil anos embora, os homens seriam capazes de criar tantos seres livres quanto são hoje capazes de criar almas de escravos.

A personalidade é um fenômeno excepcional, inaudito, quase um milagre da natureza, e seu grande valor está precisamente em ser assim, raro, inaudito, assombroso. É necessário um rebanho para que a individualidade se distinga. Inútil querer ultrapassar o fosso; não se criará nada de viável. Ao contrário, é necessário aprofundar sem cessar as diferenças.

Interrompi-lhe com estas palavras:

– Permite que o interrompa? – Não me respondeu, mas sua atitude de expectativa era uma afirmação. Aproveitei para dizer: – A diferença entre a grande personalidade e o rebanho é que distingue o primeiro. Desta forma chegaríamos à conclusão de que a personalidade exige o rebanho, e só podem existir personalidades grandes onde houver rebanho. Perdoe-me discordar. Seu pessimismo, neste ponto, sempre me preocupou, embora o compreendesse como fruto das condições de sua época, de sua própria personalidade, de sua própria dialética. Não vejo valor, e foi o sr. mesmo quem disse uma vez na exaltação de alguém pela depressão do terreno à volta. Para erguer grandes individualidades à custa do rebanho e pela manutenção do rebanho, não valorizamos aquelas.

Devemos crer, aliás eu quero crer, porque essa crença me é necessária para a minha própria afirmação, de que a todos é dada a possibilidade de se erguer acima do rebanho, bem como até a liquidação do rebanho pela civilização de homens livres, numerosos, dominadores.

– Mas, meu caro, eu também acreditei nisso. É natural que nos momentos de exaltação chegasse a afirmações um tanto exageradas. Mas sempre fui fiel para comigo mesmo e disse sempre o que senti, o que vivi, o que experimentei.

Combati a tentativa de nivelar, combati o nivelamento que era um ideal no meu tempo. O nivelamento era apresentado com tanta audácia, com tanto entusiasmo, com tanto calor, que me vi forçado a reagir com o mesmo ardor pela separação, pelo abismo. Não que seja necessário para homens superiores existir uma humanidade de pigmeus. Meu caro, propus sempre a igualdade dos iguais e a desigualdade dos desiguais. Os afins devem procurar-se entre si; os grandes são raros, sempre raros, mas a liberdade criadora poderá aumentar o número desses raros. Os medíocres, o membro do rebanho, necessitam de uma moral de rebanho. Quando me rebelei contra a revolta dos escravos é porque estes não queriam ser senhores, mas tornar escravos a todos.

Essa igualização é um crime porque é a maior injustiça que se pode praticar contra os homens superiores. Repudiei sempre com a máxima energia o falso idealismo dos que desejam destruir o egoísmo do eu individual. Hipócritas e covardes quiseram destruí-lo, quando eles mesmos não passavam de meros produtos degenerados desse mesmo egoísmo. Quando o homem ama ou quando odeia, ele conhece o gozo de si mesmo.

Combati o hedonismo como um falso preceito moral, porque ele quer tornar um fim o que apenas é um meio para o homem. Este até quando se humilha quer engrandecer-se, quer ser grande quando se abaixa. Quem pode negar o prazer de fazer o bem? Eu disse que a magnanimidade é uma vingança sublimada. O homem piedoso conhece o gozo de sentir-se superior ao irreligioso ou ao arreligioso.

No fundo, o eu trabalha como o faz uma célula do organismo. Subjuga e mata; ele se apropria do bem de outrem e usa de violência. Quer regenerar, sem perpetuar-se, e prolifera.

Ao juntar-se aos seus semelhantes, ao apoiar-se mutuamente uns nos outros, ele sente a potência da multidão que o potencializa e nela se integra, porque se sente mais forte. Quem se sacrifica por outrem, como a mãe que se sacrifica pelo filho, como o soldado que morre pela pátria, realizam o sacrifício de uma parte de si mesmo em benefício de outra parte de si mesmo. O eu não é uma unidade-bloco, mas uma pluralidade, já o disse. A alma humana vive dessa pluralidade. Por isso nunca acreditei em desinteresse e repeli sempre aquele conhecimento desinteressado de que falava Kant.

O homem deixaria de ser homem se fosse negar dentro de si a si mesmo, se renunciasse a si mesmo. E ao renunciar a si mesmo renunciaria a tudo quanto lhe resta de grande e de próprio. A guerra existe em toda a existência, em toda a alma humana, mas a guerra no velho e lato sentido de Heráclito, e não aquela guerra que acidentalmente sucede entre os homens, a guerra de destruição, mas aquela que é a vitória sobre o adversário, o bom adversário digno de respeito. Não combati totalmente as guerras nem fui um mero defensor delas. Há guerra, e há guerra...

Prefácio

I

Nós, investigadores do conhecimento, desconhecemo-nos uns aos outros. E há uma forte razão: pois se nunca nos **procuramos*, como havíamos de nos encontrar**?

Foi com profunda razão que se disse: "Onde estiver o vosso tesouro, lá estará o vosso coração", e o **nosso** tesouro está onde estão as nossas colmeias do conhecimento. Sempre nos empenhamos como animais alados e coletores do mel do espírito e do coração e só cuidamos de uma coisa, de "trazer" algo para nós. Do que à vida se refere, e do que chamam de "acontecimentos da vida", quem é que dentre nós se preocupa a sério?

Quem tem tempo para se preocupar? Assuntos semelhantes não exigem nem o nosso interesse, nem o nosso coração, nem sequer os nossos ouvidos. Mas assim como um homem divinamente distraído e absorto em si mesmo acorda sobressaltado, quando o despertador dá as doze badaladas do meio-dia, e pergunta entre si: "Que horas são?", igualmente nós somente depois esfregamos os ouvidos e perguntamos entre admirados e surpresos: "O que sucedeu

---

* Ao longo do texto o tradutor quis destacar palavras e expressões de Nietzsche, objetivando melhor compreensão do texto do filósofo. Mantivemos essa opção, deixando tais destaques em negrito [N.E.].

conosco?" e ainda mais: "Quem somos nós?", e depois contamos as doze badaladas tonitruantes de nossa vida, do nosso ser, e, ai de nós!, enganamo-nos na conta... É que somos fatalmente estranhos a nós mesmos, não nos compreendemos, temos de nos confundir com os outros, e para nós eternamente haverá esta lei: "cada qual é para si o mais estranho!; nem quanto a nós mesmos somos de qualquer forma conhecedores".

II

As minhas ideias acerca da origem dos nossos preconceitos morais, porque tal é o assunto desta obra de polêmica, acham a sua primeira expressão lacônica e provisória naquela coleção de aforismos intitulada "Humano, demasiado humano. Um livro para espíritos livres".

Comecei a escrevê-lo em Sorrento, durante um inverno em que pude demorar, como demora um viajor para abarcar com os olhos o vasto e perigoso país que o meu espírito havia percorrido.

Era o inverno de 1876 para 1877, mas as ideias datam de época mais distante. Eram já substancialmente as mesmas que as expressas nos presentes livros: é de esperar que tão longo intervalo lhes tenha feito bem e tenham ganho em maturidade, em clareza e em perfeição! O fato de eu as reter ainda, tendo-se apertado cada vez mais a ponto de se entrelaçarem e de se fundirem, robustece em mim a alegre esperança de que não nasceram ao acaso, esporadicamente, mas que brotaram de um tronco comum, de uma fundamental vontade de conhecimento, que governa e dirige as forças mais íntimas, e que fala com uma linguagem cada vez mais nítida e exige conceitos cada vez mais precisos. É este o único modo de pensar digno de um filósofo. Não temos direito de viver **isolados**. Não nos é permitido enganar-nos isoladamente, nem encontrar isoladamente a verdade. Ao contrário, assim como é necessário que uma árvore dê frutos, assim **nós** frutificamos ideias, apreciações: e o nosso "sim" ou "não", nossos **porém** e **ser** desenvolvem-se, aparentados e relacionados, como testemunhas de uma vontade, de uma saúde, de uma terra, de um sol.

Serão do **nosso** gosto estes frutos do nosso jardim? Mas que importa isso aos sábios! Que nos importa a nós, os filósofos?...

III

Por um escrúpulo de pensamento, que me repugna confessar – refere-se ele, pois, **à moral** e a tudo o que até hoje foi consagrado como moral –, nesse escrúpulo que surgiu na minha vida, tão precoce, tão espontânea e tão impetuosamente, tão em contradição ao ambiente, à idade, ao escrúpulo e à origem, fatos esses que quase me dariam a razão de chamá-los de meus *a priori*, a minha ansiedade assim como a minha suspeita estacaram ante a pergunta, **que origem** teriam propriamente os conceitos **bem e mal?**

Aos treze anos já este problema da origem do Bem e do Mal se não afastava da minha mente: na idade em que "Deus e os brinquedos da infância enchem o coração", consagrei a este problema os meus primeiros exercícios filosóficos. E é natural que a solução do problema para mim estava em Deus, a quem eu atribuía a honra da paternidade do mal. Porventura exigia de mim o meu *a priori* uma tal conclusão? Foi a este novo *a priori*, imoral ou imoralista, e à sua expressão, o imperativo categórico tão antikantiano, tão enigmático, ao qual prestei ouvidos e não somente ouvidos?... Felizmente, depressa aprendi a distinguir o preconceito teológico do preconceito moral e já não volvi a procurar a origem do mal num **além** do mundo.

Alguma educação histórica e filológica e certo tato que me é peculiar, delicado para as questões psicológicas, depressa transformam o meu problema neste outro: De que modo inventou o homem estas apreciações de valor: o bem e o mal? E que valor têm em si mesmas? Foram ou não favoráveis ao desenvolvimento da humanidade? São um sintoma funesto do empobrecimento vital, de degeneração? Ou indicam, pelo contrário, plenitude, força e vontade de viver, coragem, confiança no futuro da vida? Encontrei várias respostas; distingui tempos, povos e classes; especializei o meu problema; a pouco e pouco as respostas foram-se transformando em novas perguntas, investigações, conjecturas, probabilidades, até que, por fim, conquistei uma região própria, todo um mundo ignorado em plena florescência e crescimento, semelhante a um secreto jardim cuja existência ninguém suspeitara... ah! Quão felizes somos os que procuramos o conhecimento, quando sabemos calar por algum tempo!...

IV

O primeiro impulso que me moveu a publicar algumas das muitas hipóteses acerca da origem da moral foi a leitura de um livrinho claro, límpido, sagaz, com sagacidade do velho; de um livro que, pela primeira vez, me apresentava um gênero inglês puro, de hipóteses genealógicas invertidas. Este livro que atraiu com aquela força que possui tudo quanto é antípoda, tudo quanto nos contradiz. Intitulava-se *Origem dos sentimentos morais*, autor o Doutor Paul Rée, e publicou-se em 1877.

Talvez nunca lesse algo que despertasse a minha contradição com tanta energia, frase por frase, tese por tese, sem amarguras, sem impaciência. Na obra já mencionada, e que então eu estava preparando, me referi, com ocasião e sem ela, às teses daquele livro, não para refutá-las – pois, que tenho eu que ver com as refutações? –, senão, o que convém a um espírito positivo, para substituir o verossímil pelo inverossímil, e talvez um erro por outro erro. Naquele tempo trazia eu, como já disse, pela primeira vez à luz meridiana aquelas hipóteses da origem, às quais dediquei essas dissertações, com pouco jeito como eu queria esconder a mim mesmo em último lugar, ainda pouco livre, também sem uma língua própria para essas coisas próprias, e com muitas recaídas e dúvidas.

Veja-se, por exemplo, no meu *Humano, demasiado humano*, o aforismo 45, acerca da dupla origem do bem e do mal (i. é, da esfera dos nobres e dos escravos); do mesmo modo p. 141 a respeito do valor e da origem da moral ascética; do mesmo modo p. 97, tomo III, 49, a respeito da moralidade da moral, gênero da moral muito mais antigo e mais primitivo que ***toto coelo*** fica posto à margem da apreciação altruísta (na qual Dr. Rée iguala a todos os genealogistas morais ingleses, vê o modo de valorizar a moral **em si**).

Veja-se também na p. 93 de *O viandante e a sua sombra*, e o aforismo 112 de *Aurora*, onde explico a minha teoria acerca da justiça considerada como equilíbrio de poderes iguais (equivalente como pressuposição de todos os contratos em consequência de todo o direito); da mesma forma em *O viandante e a sua sombra* acerca do castigo (p. 208 e 217), cujo caráter essencial e primordial não foi a intenção de inspirar terror; como pensa o Dr. Rée – foi-lhe o contrário suposto sob condições determinadas e sempre como algo acessório, adicional.

No fundo, o que eu me propunha era alguma coisa mais importante que um mundo de hipóteses, próprias ou estranhas, acerca da moral (ou mais exatamente aquele devido a um juízo para o qual era este um dos meus múltiplos caminhos).

Tratava-se para mim do **valor da moral** – acerca deste ponto eu não tinha que me explicar senão para com o meu ilustre mestre Schopenhauer, a quem se dirigiu este livro com toda a sua paixão e a sua secreta oposição porque *Humano, demasiado humano*, era, como esta, uma obra de polêmica. Tratava-se particularmente do valor do não egoístico, dos instintos de compaixão, de renúncia, de abnegação, que Schopenhauer aformoseara, divinizara e elevara a regiões sobrenaturais, tanto que chegou a considerá-los como "valores em si", nos quais fundou a sua negação da vida e de si mesmo. Mas, precisamente contra estes instintos, surgia em mim uma desconfiança cada vez mais fundamental, um ceticismo cada vez mais profundo. Neles via eu precisamente o grande escolho da humanidade, a tentação, a sedução suprema que a conduziria... aonde?... ao nada?

Neles via o princípio do fim, o alto na marcha, o cansaço que olha para trás, a vontade que se rebela contra a vida, a última doença anunciada por sintomas de ternura e de melancolia: compreendia que esta moral de compaixão que cada vez mais se alastrava, a qual ainda aos filósofos infetava, era o sintoma mais sinistro na nossa sinistra cultura europeia, ao **niilismo?** ... Entre os filósofos esta exageração da compaixão é, efetivamente, algo de novo: até ao dia de hoje estiveram de acordo os filósofos no valor **negativo** da compaixão.

Basta citar os nomes de Platão, Spinoza, La Rochefoucauld e Kant, estes quatro espíritos tão dissemelhantes, mas unânimes num ponto: no desprezo da compaixão.

V

O problema do valor da compaixão e da moral da compaixão (sou inimigo da vergonhosa feminilidade e do sentimentalismo que hoje predomina) parece ser, à primeira vista, uma questão isolada, uma interrogação única e à parte; mas quem se detiver um pouco, quem souber interrogar, verá como à frente se lhe abre uma perspectiva nova imensa; sobressaltá-lo-á como uma vertigem a visão de toda uma possibilidade; apoderar-se-ão dele as suspeitas, as desconfianças, as apreensões: vacilará a sua fé na moral, e por fim a sua voz levantará uma exigência nova. Enunciemos esta "nova exigência".

Necessitamos de uma "crítica" dos valores morais e antes de tudo deve discutir-se o "valor destes valores", e por isso é de toda a necessidade conhecer as condições e o meio ambiente em que nasceram, em que se desenvolveram e deformaram (a moral como consequência, como máscara, como hipocrisia, como enfermidade ou como equívoco, e também a moral como causa, remédio, estimulante, freio ou veneno), um conhecimento de tal espécie nunca teve outro semelhante, nem é possível que não o tenha nunca desejado. Dava-se como existente o "valor destes valores" como um verdadeiro postulado; até agora nunca se duvidou nem se hesitou de atribuir um valor do "bem" superior ao "mal", ao valor do progresso, da utilidade, inclusive o futuro do homem. E por quê? Não poderia ser verdade o contrário? Não poderia haver no homem "bom" um sintoma de retrocesso, um perigo, uma sedução, um veneno, um "narcótico" que desse vida ao presente a "expensas do futuro?" Uma vida mais agradável, mais inofensiva, mas também mais mesquinha, mais baixa?... De tal modo que fosse culpa da moral o não ter o tipo homem alcançado o mais alto grau do poder e do esplendor? E de que, entre todos os perigos, fosse a moral o perigo por excelência?...

Depois que se abriu ante os meus olhos esta perspectiva, procurei colaboradores eruditos, audazes e laboriosos (e ainda os procuro).

Trata-se de resolver muitos problemas novos; trata-se de percorrer com pés novos e olhos novos o imenso, longínquo e misterioso país da moral, da moral que verdadeiramente viveu e foi vivida; não é isto descobrir um continente?... Se pensei no Dr. Rée, foi porque vi que a própria natureza dos seus problemas o levava a um método mais racional para alcançar respostas. Enganei-me nisto?

O fato é que apenas pretendi dar a uma visão tão penetrante e tão imparcial uma direção melhor: a direção para uma verdadeira história da moral; pretendi pô-lo em guarda ainda em tempos oportunos, contra um mundo de hipóteses inglesas edificadas no azul vazio. É evidente que para o genealogista da moral há uma cor cem vezes preferível ao azul, a cor cinzenta, isto é, tudo o que se funda em documentos, tudo o que consta que existiu, todo o longo texto hieroglífico, laborioso, quase indecifrável do passado da moral humana.

O Dr. Rée ignorava este grande texto; mas havia lido Darwin, e por isso vemos nas suas hipóteses como a besta humana de Darwin estende gentilmente a mão ao humilde efeminado da moral, criação moderna que já "não morde", mas que corresponde à saudação com ar indolente, bonachão e gracioso, mesclado de pessimismo e de cansaço, como se não valesse a pena tomar tão a sério os problemas da moral. A mim, pelo contrário, parece-me que nada há no mundo que mereça ser tomado mais a sério. Para mim me parece que não podem existir coisas que mais valessem tomar a sério, e algum dia se **reconhecerá este mérito**. A alegria é, pois, para expressar o modo como eu falo, a "Gaia Ciência" é a recompensa, recompensa de um esforço contínuo, ousado, tenaz, subterrâneo; reservado a poucos. Mas quando pudermos gritar: "Adiante! A nossa velha moral entra também no domínio da **comédia**", teremos descoberto para o drama dionisíaco dos "destinos da alma" uma nova intriga, uma nova possibilidade e até poderíamos assegurar que disto já se aproveitou o grande, o antigo, o eterno poeta das comédias da nossa existência.

VI

Se alguns acharem incompreensível este livro, se os seus ouvidos forem tardios para lhes perceber o sentido, a culpa, parece-me, não é minha. O que digo é bastante claro, na suposição de que e para tal não foi poupado nenhum esforço, caso tenham lido as minhas obras anteriores.

Porque, efetivamente, cada um de *per si* não é fácil. Quanto ao meu *Zaratustra* quem não se tenha impressionado ou entusiasmado em cada uma das suas palavras: só então gozará o privilégio alegórico de onde nasceu esta obra, e sentirá veneração pela sua resplandecente claridade, pela sua amplitude, pelas suas perspectivas longínquas e pela sua certeza. Nos meus restantes escritos, o que provém de não se tomar hoje esta forma aforística, a **forma** suficientemente grave oferece certa dificuldade. Um aforismo honestamente modelado e cunhado não pode "decifrar-se" à primeira leitura. Ao contrário, começa-se unicamente agora a interpretar-se para o qual é necessário uma arte de interpretação. Na terceira dissertação do presente volume estabeleço um exemplo de interpretação; esta dissertação é o comentário de um aforismo. Na verdade, para elevar assim a leitura à dignidade de "arte" é mister, antes de mais nada, possuir uma faculdade hoje muito esquecida (por isso há de passar muito tempo antes dos meus escritos serem "legíveis"), uma faculdade que exige qualidades de vaca, e absolutamente **não** as de um homem "moderno": a de **ruminar**...

Sils-Maria, Obergandin, julho de 1887

Dissertação primeira
"Bem e mal", "Bom e mau"

I

Estes psicólogos ingleses a quem devemos as únicas tentativas que até agora têm sido feitas para construir uma história das origens da moral são bastante enigmáticos; eles, como enigmas vivos, têm algo mais **interessante** que seus próprios livros. Que querem os psicólogos ingleses? Decerto pôr em evidência a ***partie honteuse*** do nosso mundo interior e procurar o princípio ativo, condutor decisivo, da evolução, precisamente no ponto em que o orgulho intelectual do homem não o esperava achar (por exemplo na ***vis inertiae*** do hábito, ou na faculdade do esquecimento, ou numa engrenagem fortuita das ideias, ou, finalmente, em alguma coisa puramente passiva, automática, reflectiva, molecular e fundamentalmente vã). O que é que impele os psicólogos justamente nessa direção? Será o instinto secreto e pérfido de amesquinhar o homem? Será uma perspicácia pessimista, ou a desconfiança do idealista desiludido e triste, envenenado todo de bílis? Ou talvez certa *rancune* contra o cristianismo (e Platão), que ultrapassou o limite da consciência? Ou talvez a perversa afeição às excentricidades, dolorosamente ao paradoxal, às incertezas e aos absurdos da existência? Ou, finalmente, um pouco de tudo isto, um pouco de vilania, um pouco de amargura, um pouco de anticristianismo, um pouco de prurido, de instigação?... Asseguram-me que não passam de umas rãs mucilaginosas e importunas, que saltam e se metem no peito do homem, como se ali estivessem no seu elemento, num charco. Eu repilo esta ideia e ainda não acredito nela e, podendo desejar-se onde não é possível saber, aí eu desejo de coração que suceda exatamente o contrário; desejo que estes investigadores, que estudam a alma ao microscópio, sejam criaturas generosas, valentes, magnânimas, e dignas, que saibam refrear o coração e sacrificar os seus desejos à verdade, a **toda** a verdade, até mesmo à verdade simples, repugnante, anticristã e imoral... porque tais verdades existem.

II

Estes historiadores da moral e dignos de todo respeito são umas boas pessoas, mas falta-lhes o **espírito histórico** e justamente foram abandonados de todos os bons espíritos da história. Têm, segundo a velha tradição nos filósofos, uma forma de pensar essencialmente anti-histórica. A futilidade de sua genealogia da moral aparece ***ab initio***, desde que se trata de precisar a origem do conceito e do valor "bom".

"Ao princípio – dizem – as ações altruístas foram louvadas e reputadas boas por aqueles a quem eram **úteis**; mais tarde foi **esquecida** a origem deste louvor e chamaram-se boas as ações altruístas por costume adquirido da linguagem, como se fossem boas em si mesmas". Esta primeira derivação apresenta todos os traços típicos da idiossincrasia dos psicólogos ingleses; encontramos nisto "utilidade", "esquecimento", "costume", e, por fim, "erro", e tudo para servir de base a uma escala de valor que até hoje parecia privilégio dos homens superiores. Este orgulho deve ser humilhado; esta escala de valores deve ser desprezada. Foi alcançado isso?

Para mim é evidente que esta teoria tira a sua origem do conceito "bom" num lugar indevido; o juízo "bom" não emana daqueles a quem se prodigalizou a "bondade". Foram os mesmos "bons", os homens distintos, os poderosos, os superiores que julgaram "boas" as suas ações; isto é, "de primeira ordem", estabelecendo esta nomenclatura por oposição a tudo quanto era baixo, mesquinho, vulgar e vilão. Arrogavam-se de seu *pathos* da distância o direito de criar valor e determiná-los: o que lhes importava a utilidade! O ponto de vista utilitário correlaciona-se justamente à fonte viva da escala de valores mais elevada em diferentes graus, tão estranha e inadequada quanto possível; aqui justamente o sentimento chegou a um contraste daquele baixo grau de calor que é pressuposto por cada prudência calculadora, por todo cálculo utilitário, e não por uma vez, não por uma hora de exceção, mas por todo o tempo; o *pathos* da distinção e da distância, o sentimento geral, fundamental e constante de uma raça superior e dominadora, em oposição a uma raça inferior e baixa, determinou a origem da antítese entre "bom" e "mau".

(Este direito dos senhores de dar nomes vai tão longe que se pode considerar a própria origem da linguagem, como um ato de autoridade que emana dos que dominam. Disseram: "Isso é tal e tal coisa", vincularam a um objeto ou a um fato, tal ou qual vocábulo, e dessa forma tomam posse dele.) De maneira que primitivamente a palavra "bom" não significava ação "altruísta", como erradamente imaginam estes genealogistas da moral. Foi antes ao declinar as apreciações aristocráticas quando a antítese "egoísta" e "desinteressada" (altruísta) se apoderou da consciência humana – é para servir-me de minha linguagem **instinto de rebanho** que veio à tona.

E até muito depois este instinto não dominou de tal modo que a escala de valor da moral ficasse presa e sujeita neste contraste (como sucede, p. ex., na Europa de hoje, onde este preconceito reina e dá valor igual a "moral", "não egoístico" do desinteresse, com o caráter de ideia fixa e de afecção cerebral).

III

Para não falar da insustentabilidade daquela hipótese a respeito da origem das valorações: "bom" sofre ela de um contrassenso psicológico em si mesmo. A utilidade da ação antiegoística deve ser a origem de seu louvor, e esta origem deve ter sido esquecida: Como poderá esquecer-se tal origem? Porventura deixou algum dia de existir a utilidade dos atos que se chamaram bons? Muito pelo contrário; esta utilidade é experiência cotidiana de todos os tempos, algo, pois, que foi sublinhado cada vez novamente; por conseguinte, longe de cair no esquecimento, devia gravar-se mais e mais na consciência, muito mais lógica, embora não mais verdadeira, é, por exemplo, a opinião de Herbert Spencer, o qual considera os conceitos "bom" e "útil" como de origem semelhante; de sorte que a humanidade pelos juízos "bom" e "mau" resumiria e sancionaria as suas experiência inolvidáveis acerca do que é útil e conveniente, ou inútil e inconveniente. Segundo esta teoria, é bom aquilo que, em todos os tempos, se revelou como útil, e daí logo "o seu valor essencial". Esta tentativa de explicação é errônea, mas ao menos é sensata e psicologicamente aceitável.

IV

A indicação do verdadeiro método foi-me dada por esta pergunta: Qual é, segundo a etimologia, o sentido da palavra "bom" nas diversas línguas? Então descobri que esta palavra em todas as línguas deriva de uma mesma **transformação de ideias**; descobri que, em toda a parte, a ideia de "distinção", de "nobreza", no sentido de ordem social, é a ideia-mãe donde nasce e se desenvolve necessariamente a ideia do "bom" no sentido de "distinto quanto à alma", e a ideia de "nobre" no sentido de "privilegiado quanto à alma". E este desenvolvimento é sempre paralelo à transformação das noções "vulgar", "plebeu", "baixo", finalmente, na noção de "mau".

O exemplo mais eloquente desta última metamorfose é a palavra germânica ***schlecht*** (mau), que é idêntica à palavra ***schlicht*** (simples); compare-se ***schechtweg*** (simplesmente) e ***schlechterdings*** (absolutamente, por assim dizer); e que na sua origem designava o homem simples, sem o olhar suspeito de lado, simplesmente um contraste do homem nobre.

Na época da Guerra dos Trinta Anos foi quando este significado veio a ser o que hoje é. Há aqui um fato, que me parece **essencial** sob o ponto de vista da genealogia da moral; "se tardou um tanto em comprovar-se, foi pela influência que exerce no mundo moderno o preconceito democrático, pondo obstáculos a toda investigação inerente às origens". Isto ainda no terreno que parece mais objetivo, no das ciências naturais e da fisiologia, como aqui apenas quero assinalar.

Que espécie de desatino, porém, é possível ser causado por esse pensamento, uma vez desenfreada até o ódio, principalmente no que diz respeito à moral e à história, e o que demonstra o caso escandaloso de Buckle; o **plebeísmo** do espírito moderno, sendo de origem inglesa, irrompeu mais uma vez o seu solo com toda a pátria, violenta como um vulcão lodoso com eruptiva de um vulcão, aquela eloquência salgada, alta e vulgar, com a qual até agora foram todos os vulcões.

V

Pelo que diz respeito ao **nosso** problema (problema **íntimo**, pois seletivamente a poucos ouvidos me dirijo), importa observar que, através das palavras e raízes que significam "bom", transparece o matiz principal pelo qual os "nobres" se sentiam homens de uma classe superior. Verdade é que, na maior parte dos casos, tomaram o nome da superioridade do seu poder ("os poderosos", "os donos", "os chefes"), ou dos sinais exteriores desta superioridade ("os ricos", "os possuidores"; tal é o sentido de **aria**, que aparece também no grupo ariano e eslavo). Sem embargo, muitas vezes um **traço típico de caráter** determina o epíteto, e este é o caso que aqui nos interessa.

Chamam-se, por exemplo, "os verídicos"; assim se designa a nobreza grega por boca do poeta megárico Theogonis. A palavra ***esdlos*** significa pela origem "alguém que é", alguém que é real, que é verdadeiro; depois, por uma modificação subjetiva, o verdadeiro vem a ser o verídico: a esta fase de transformação da ideia vemos que a palavra que a expressa vem a ser a contrassenha da nobreza, e toma em absoluto o sentido de "nobre" por oposição ao homem vulgar, ao homem que mente, segundo o concebe e descreve Theogonis; até que, por fim, quando a nobreza declina, aquela palavra vem a significar a nobreza da alma, e ao mesmo tempo o que quer que seja de maduro e de adocicado. Na palavra ***kakos***, como em ***deilos*** (que designa o plebeu em oposição ao ***agathos***) está sublinhada a covardia, este nos dá o aceno em que direção devemos procurar a origem etimológica do sentido de ***agathos***. O latim ***malus*** (que eu relaciono com ***mélas***, "negro" pode designar o homem plebeu de cor morena e de cabelos pretos (***hic***

niger est), o autóctone preário do solo itálico que se distinguia muito pela sua cor, da raça dominadora e conquistadora dos ruivos ários. Ao mesmo o gáulico subministra-me um indício semelhante, a palavra ***fin*** (p. ex. – ***Fin-Gal*** – termo distintivo da nobreza e que, em última análise, significa "o bom", "o nobre", "o puro", significava antigamente "o de cabelos ruivos" em oposição ao nativo de cabelos negros.

Os celtas, seja dito de passagem, eram uma raça absolutamente loura. As zonas da população de cabelos negros que, em alguns mapas etnográficos da Alemanha feitos com algum cuidado, se atribuem sem razão a origem celta, como faz ainda hoje Virchow, são antes população pré-ária, predominante nestas regiões.

A mesma observação se aplica a toda a Europa. De fato, a raça submetida adquiriu o predomínio com a sua cor, a sua forma de crânio e os seus instintos intelectuais e sociais. Quem nos garante que a democracia moderna, o anarquismo ainda mais moderno, e sobretudo esta tendência para a **comuna**, para a forma social mais primitiva, para o socialismo não são essencialmente senão um monstruoso efeito de **atavismo**, de tal modo que a raça dos **conquistadores e senhores**, a raça dos árias esteja a caminho de ser superada fisiologicamente?...

Creio poder interpretar o latim ***bonus*** por "o guerreiro": levando ***bonus*** a sua forma antiga de ***duonus*** (compara-se ***bellum*** = ***duellum*** = ***duelun***, donde parece conservar-se ***duonus***). Segundo isto, ***bonus*** seria o homem da disputa do dissídio (***duo***), o guerreiro: eis o que constitui a **bondade** de um homem da Roma Antiga. E a nossa palavra alemã ***gut*** ("bom") não significaria ***der Goethlich*** ("o divino"), o homem de origem divina? E não seria sinônimo de ***Goth***, nome de um povo, mas primitivamente de uma nobreza? As razões em favor desta hipótese não são aqui oportunas.

VI

Se a transformação do conceito de predomínio político num conceito psicológico é a regra, não constitui uma exceção o que a casta mais elevada forma ao mesmo tempo da **casta sacerdotal** e prefira um título que lembra as suas funções sacerdotais. Deste modo a oposição "puro" e "impuro" serviu primeiramente para distinguir as castas e ali se desenvolveu mais tarde uma diferença entre "bom" e "mau" num sentido já não limitado à casta.

Cuidemo-nos de atribuir às ideias de "puro" e "impuro" um sentido demasiado rigoroso, demasiado lato, e menos ainda um sentido simbólico. Todas as ideias da humanidade mais antiga foram compreendidas em seu início, num sentido para nós dificilmente compreensível, grosseiramente desgraciosas, externas e estreitas, e principalmente antissimbólicas. Abriu entre os homens tais abismos que nem um Aquiles de pensamento livre os franquearia sem temer e tremer. Há desde o princípio o que quer que seja de **mórbido** nestas aristocracias sacerdotais, e nos seus hábitos de domínio hostis à ação em parte chocantes e explosivos, querendo que o homem ora engrandeça os seus sonhos, ora caia em explosão de sentimentos, donde parece derivar-se esta fraqueza intestinal e esta neurastenia que são inerentes aos sacerdotes em todas as épocas. E por que não afirmar que o remédio que preconizava em seus efeitos era mil vezes pior? Toda a humanidade está sofrendo as consequências deste ingênuo tratamento sacerdotal. Basta recordar certas particularidades do regime dietético (privação de carne), o jejum, a abstinência sexual, o deserto (isolamento à

Weir Mitchell, naturalmente, sem o engordamento e a superalimentação que se lhe segue e que constitui o remédio mais eficaz do ideal ascético).

Acrescente-se a isto a metafísica sacerdotal hostil aos sentidos, que os torna preguiçosos e refinados; o hipnotismo, por autossugestão, que praticam os sacerdotes à maneira dos faquires e dos brâmanes, operando Brama como esfera de cristal ou ideia fixa, e o fastio universal e final, compreensível com a crise radical do sacerdote, o **nada** (ou Deus, porque a aspiração a uma ***unio mystica*** com **Deus** nada mais é do que a aspiração do budismo ao nada, ao Nirvana). É que no sacerdote tudo se torna mais perigoso, não só a dietética e a terapêutica, senão também o orgulho, a vingança, a perspicácia, o amor, a ambição, a vontade de reinar, a virtude e a doença. Contudo, é justo acrescentar que no meio deste modo perigoso de existência sacerdotal começou o homem a ser um **animal interessante** e adquiriu sua alma em **profundidade** e **maldade**, que são os atributos capitais, que asseguraram a supremacia do homem sobre o reino animal.

VII

Compreende-se agora com quanta facilidade o modo de valorar dos sacerdotes diverge e desenvolve-se em seguida, em sentido contrário ao da aristocracia guerreira, e principalmente verificar-se-á o conflito quando ambas as castas começarem a invejar-se mutuamente e não puderem acordar-se quanto ao prêmio. A escala de valores dos fidalgos aristocráticos funda-se numa corporalidade forte, numa saúde florescente, e no que contribui para tal: a guerra, as aventuras, a caça, a dança, os jogos e exercícios físicos, e em geral tudo o que implica uma atividade robusta, livre e alegre.

Muito diferente é o modo de valorar da classe sacerdotal; e pior para ela quando se trata de guerra. Os sacerdotes são os inimigos **mais malignos**; por quê? Por serem os mais impotentes. A impotência faz crescer neles um ódio monstruoso, sinistro, intelectual e venenoso. Os grandes odiadores, na história, foram sempre os sacerdotes, também os odiadores mais espirituais; e nada se pode comparar com o engenho que os sacerdotes desenvolvem na sua vingança. A história da humanidade seria uma coisa insípida sem o espírito que a ela deram os impotentes. Ponhamos o exemplo mais notável. Tudo o que na Terra se fez contra os "nobres", os "poderosos", os "governantes", não se pode comparar com o que fizeram os **judeus**. Os judeus, aquele povo de sacerdotes, vingaram-se dos seus dominadores por uma radical mudança dos valores morais, isto é, com uma **vingança essencialmente espiritual**.

Só um povo de sacerdotes, um povo de vingança retraída, podia obrar assim. Os judeus, com uma lógica formidável, enfrentaram e inverteram temivelmente a aristocrática escala dos valores ("bom" é igual a "nobre", igual a "poderoso", igual a "formoso", igual a "feliz", igual a "amado de Deus"). E, com o encarniçamento do ódio da impotência, afirmaram: "Só os desgraçados são bons; os pobres, os impotentes, os pequenos são os bons; os que sofrem, os necessitados, os enfermos são os piedosos, são os benditos de Deus; só a eles pertencerá a bem-aventurança; pelo contrário, vós, que sois nobres e poderosos, sereis por toda a eternidade os maus, os cruéis, os cobiçosos, os insaciáveis, os ímpios, os réprobos, os malditos, os condenados". Todos sabem quem foi que recolheu a herança desta inversão judaica... E recordo aqui quanto a esta iniciativa perigosíssima que os judeus deram com essa declaração de guerra mais fundamental a sentença cujo resultado já cheguei em outra ocasião (*Além do bem e do mal*, p. 195), disse: "Que com os judeus começou a **emancipação dos escravos na moral**, esta emancipação que tem já vinte séculos de história e que não podem afastar de nossos olhos porque foi vitoriosa".

VIII

Compreendeis por que é que esta coisa necessitou de dois mil anos para triunfar?... Não é estranho: as coisas que duram muito são sempre difíceis de ver. Sobre o trono da árvore da vingança e do ódio – e foi o que se deu –, do ódio judaico, do ódio mais profundo e mais sublime que o mundo jamais conhecera, do ódio criador do ideal, do ódio transmutador dos valores, do ódio sem par na terra, do tronco desse ódio brotou uma coisa incomparável, um **amor novo**, a mais profunda e a mais sublime espécie de amor. E de que outro tronco poderia ela ter vindo? Não se creia que o amor se desenvolveu como antítese daquela sede de vingança, como contraste do ódio judaico. Ao contrário, o amor saiu deste ódio como uma coroa triunfante da pureza, da luz e do sublime. Este persegue os mesmos fins que o ódio – a vitória, a conquista, a sedução –, com os quais as raízes daquele ódio se aprofundaram cada vez mais e de modo mais ambicioso, com tudo o que tinha profundidade e era mau. Aquele Jesus de Nazaré, como encarnação do Evangelho do amor, este "Salvador", que trazia aos pobres, aos enfermos, e aos pecadores a bem-aventurança e a vitória, não era Ele precisamente a sedução na sua forma mais irresistível e sinistra, a sedução que, por um retorno, havia de conduzir os homens a adotar o ideal de renovação dos valores judaicos? Ao ferir o Salvador, seu aparente adversário, não feriu o povo de Israel o verdadeiro objeto do seu sublime ânimo vingativo? Não foi a oculta magia negra de uma política verdadeiramente grandiosa da vingança, de uma vingança previsora, subterrânea, lenta e calculadora, que pôs Israel na cruz à face do mundo, verdadeiro instrumento da sua vingança, como se este instrumento fosse o seu inimigo mortal, a fim de que o mundo todo, isto é, os inimigos de Israel, pudessem sem pensar morder o anzol mais funesto e perigoso na mais pura claridade e luz solar que se expandia larga e profundamente, que com o mesmo poder procurava no reino. E poder-se-ia, por outro lado, dentro de todo "*raffinément*" do espírito pensar numa isca mais perigosa? Algo que pudesse igualar em força sedutora e embriagadora aquele símbolo da "santa cruz", aquele paradoxo tenebroso e horrível de um "Deus na cruz", aquela crueldade misteriosa e louca de um Deus que se crucifica **pela salvação** do homem?...

Ao menos é certo que, com a sua vingança e transformação de valores, Israel triunfa sempre ***sub hoc signo*** de todos os ideais mais nobres.

IX

"Mas para que falar de um ideal mais nobre? Inclinemo-nos ante os fatos consumados; o povo venceu; 'os escravos', 'o populacho', 'o rebanho', chamai-o como quiserdes; se é aos judeus que se deve isso, nunca povo algum teve missão histórica mais brilhante. Foram abolidos os amos, triunfou a moral do povo. Se disserdes que foi um veneno (porque misturou as raças entre si) não digo o contrário, contudo eles conseguiram esse envenenamento.

A 'redenção' do gênero humano dos senhores está a bom caminho: tudo se judaíza, se cristianiza e se aplebeia a olhos vistos. O que querem dizer palavras! O impulso é irresistível, o progresso incessante; poderá haver marchas e contramarchas, pressas e demoras, mas o seu **tempo,** seu passo podem doravante ser mais vagarosos, mais sutis, menos barulhentos, mais pensativos. Dispõe-se de tempo... Tem ainda a Igreja alguma missão necessária? Tem ainda direito à existência? Poderíamos passar sem ela? ***Quaeritur***.

Parece, porém, que ela atrasa a marcha, em vez de acelerá-la? Muito bem, nisto consiste precisamente a sua utilidade. Há nela alguma coisa de grosseiro e de rústico que repugna às inteligências delicadas e aos gostos modernos. Não deveria polir-se alguma coisa? Hoje ela repele mais do que seduz. Qual de nós quereria ser livre-pensador se a Igreja não existisse? A Igreja repugna-nos, não porém o seu veneno.

Tirai a Igreja e ainda saborearíamos o seu veneno..."

Tal foi o epílogo que fez ao meu discurso um livre-pensador, um honrado animal, como ele mesmo se classificou e acima de tudo um democrata. Ele me ouviu até aquele ponto e não pôde conter-se em me ver calado. Para mim, aqui, há muita coisa que calar.

X

A rebelião dos escravos na moral começou quando o ressentimento chegou a produzir valores, ressentimentos de tais criaturas a quem é negada a própria reação do fato que se mantêm incólumes somente por uma vingança imaginária.

Enquanto toda a moral aristocrática nasce de uma triunfante afirmação de si própria, a moral dos escravos opõe um "não" a tudo o que não lhe é próprio, que lhe é exterior, que não é seu; este "não" é o seu ato criador. Esta mudança do olhar que mede os valores, essa direção necessariamente exterior, ao invés de ser para si, é própria do ressentimento: a moral dos escravos necessitou sempre de um mundo oposto, exterior; necessitou, falando psicologicamente, de estimulantes externos para entrar em ação; a sua **ação** desde a profundidade é uma **reação**. O contrário acontece na moral aristocrática; opera e cresce espontaneamente, e procura o seu antípoda somente para se afirmar a si mesma com maior alegria; o seu conceito negativo "baixo", "vulgar", "mau", é somente um pálido contraste e muito tardio, se se comparar com o seu conceito fundamental, positivo, impregnando de vida e de paixão, "nós, os **aristocratas**, nós os **bons**, os **formosos**, os **felizes**". Quando o sistema aristocrático erra e peca contra a realidade, está numa esfera que desconhece e desdenha, a esfera da plebe. De outro modo considerava-se que, de qualquer forma, o gesto de despeito, do olhar de desdém, do olhar de superioridade falsifica a imagem do despeitado e fica muito além da falsificação contra a qual o ódio recolhido, a vingança do fraco apoderar-se-á do seu adversário, naturalmente ***in effigie***. No desdém aristocrático há muita negligência e leviandade, muito olhar ao lado e muita impaciência, até muita alegria íntima e pessoal, para que o objeto possa transformar-se numa caricatura, num monstro.

E não se esqueçam os matizes benévolos que a aristocracia grega, por exemplo, põe em todas as palavras com que designa o baixo povo; achamos nelas certa mistura de dó, de pena, de indulgência, até ao ponto de que todas elas concluem por ser sinônimos de "desgraçado", digno de dó. (Compare-se ***deilós, deilaios, ponerós, moveros***, os dois últimos assinalando propriamente o homem da plebe como escravos de trabalhos e como animal de carga.)

Tenha-se presente, por outro lado, que os termos "mau", "baixo", "desgraçado", significavam uma mesma tonalidade, onde tem supremacia o "infeliz"; isto como herança da avaliação aristocrática que até no despeito não se renega (aos filósofos seja lembrado o sentido em que foram usadas as palavras *ouvrós, anolhos, themon, dystykein, euvorá*). Os "bem-nascidos" tinham o sentimento de serem os "felizes" e não tinham necessidade de construir artificialmente a sua felicidade, comparando-se com os seus inimigos e enganando-se a si mesmos como faziam os rancorosos; na sua qualidade de homens completos, vigorosos e necessariamente ativos, não acertavam em separar a felicidade da ação – ação, o lutar, o trabalho é incluído neles necessariamente na felicidade; tudo isto (onde tem origem a palavra grega ***eu prattein***) está em profunda contradição com a "felicidade" que imaginam os impotentes, os obstruídos, os de sentimentos hostis e venenosos, a quem a felicidade aparece sob a forma de estupefação, de sonho, de repouso, de paz, de sábado, de descanso do espírito, de estender dos ossos. E quanto o aristocrata vive cheio de confiança e de franqueza para consigo mesmo, germanos, isto é o que significa "nobre" de nascimento, o homem de rancor sublinha também a nuança franca e às vezes "ingênuo", assim o homem de ressentimento não é nem franco, nem ingênuo, nem leal consigo mesmo.

A sua alma é turva, o seu espírito procura os recantos e os mistérios e portas ocultas; todo o *oculto* o encanta; aí acha o **seu** mundo, a **sua** segurança, o **seu** descanso; sabe guardar o silêncio, não esquecer, esperar, fazer pequeno provisoriamente, humilhar-se.

Esta raça ressentida há de acabar por ser mais sábia do que a aristocrática, e há de honrar sobremaneira a virtude da prudência; enquanto que, entre os aristocratas, a prudência é como um luxo, é um ***raffinément***, e tem muito menor importância que o funcionamento normal dos instintos inconscientes e menor que a imprudência temerária de buscar o perigo ou de se arremessar sobre o inimigo, bem como a espontaneidade entusiasta da cólera, do amor, do respeito, da gratidão e da vingança (que no decorrer dos séculos é apanágio das almas nobres). E ainda quanto à cólera que se apodera do homem nobre, esta termina e esgota-se por uma reação instantânea; esta é a razão por que não envenena, entre os nobres poucas vezes, enquanto entre os fracos é inevitável. Não tomar a sério os seus inimigos e as suas desgraças é sinal característico das naturezas fortes que se acham na plenitude do seu desenvolvimento e que possuem uma superabundância da força plástica, regeneradora e curativa, que sabe esquecer.

(Um bom exemplo nos tempos modernos é Mirabeau, que não conservava na memória os insultos nem as infâmias, e não podia perecer, simplesmente porque esquecia.) O aristocrata atira para longe muitas imundícies com um alçar de ombros que nos outros se gravaria profundamente; só ele pode amar os inimigos, se é que tal amor é possível na terra. O respeito do homem superior ao seu inimigo é caminho aberto para o amor... Ele não pode suportar um inimigo que não seja venerável e no qual nada tenha a despertar, mas a respeitar. Do outro lado, veja-se como o homem do ressentimento concebe o inimigo – e justamente aqui está a sua criação; ele concebe o "mau inimigo", o "mau", e isto como compreensão fundamental como antítese do "bom" de si mesmo.

XI

De modo que encontramos aqui um procedimento oposto ao do homem aristocrata, o qual tira do seu próprio "eu" a ideia fundamental de "bom", donde tira, por antítese, a de "mau".

O "mau" do aristocrata é o "maligno" da caldeira de fundição do ódio insatisfeito: o primeiro é uma imitação posterior, um acessório, um matiz complementar; o segundo é a ideia original, o começo, o ato por excelência na concepção de uma moral de escravos. Mas **não** é isto a própria concepção "bom"; ao contrário pergunta-se o que é propriamente maligno, no sentido da moral do ressentimento. Respondendo severamente: justamente o bom da outra moral, isto é, o nobre, o poderoso, o que governa, somente em cores diferentes, olhado diferentemente pelo prisma do olhar venenoso do ressentimento. E cabe aqui uma observação. Aqui não queremos negar algo: quem teve somente como inimigos aqueles "bons" não conheceu neles senão inimigos **malignos**; porque estes mesmos homens, que, entre os seus iguais se contem severamente nos limites dos costumes, do respeito, da gratidão pela vigilância mútua, por inveja ***inter pares***, e que, por outro lado, nas suas relações se mostram tão engenhosos, tão senhoris, tão delicados, tão fiéis, tão cavalheirescos e tão bons amigos, quando saem do círculo da sua classe, onde começa o estranho, não são melhores que feras em liberdade, e, livres das prisões sociais, aproveitam-se até da tensão que lhes deu a longa reclusão e encurralamento a paz da sociedade, e voltam para a incoerência da consciência de animais selvagens, como monstros alegres que saem de uma horrível série de assassínios, de incêndios e de violações com tanto orgulho e serenidade de alma como se se tratasse de uma brincadeira de estudantes, e persuadidos de que deram aos poetas matéria para eles celebrarem e cantarem. No fundo destas raças aristocráticas é impossível não reconhecer a fera; a besta loira lubricamente errante que busca magnificamente vitória e presas, este fundo de bestialidade mostra-se de quando em quando, necessita de descargas, o animal tem de surgir novamente, tem de voltar ao seu ambiente – aristocracia romana, árabe, germânica ou japonesa, heróis homéricos, *vikings* escandinavos, todos são iguais nessa necessidade. Todas as raças nobres deixaram vestígios da barbárie à sua passagem; na mais alta cultura é conservada a sua recordação e há nisso certo orgulho.

(P. ex., quando Péricles diz aos atenienses na sua famosa oração fúnebre: "A nossa audácia abriu passagem por terra e por mar, erigindo por toda a parte monumentos imorredouros do **bem** e do **mal**".) Esta "audácia" das raças nobres, "audácia" louca, absurda, espontânea; a própria natureza das suas empresas imprevistas e inverossímeis; a sua indiferença e o seu desprezo da comodidade do seu corpo, do bem-estar, da vida; a alegria terrível e profunda em toda a destruição, os prazeres excessivos da vitória e da crueldade; tudo isto, na imaginação das vítimas, se resumia na ideia de "bárbaro", "maligno", "godos", "vândalo".

A desconfiança profunda e glacial que inspira o alemão quando chega ao poder e agora novamente é sempre um sedimento daquele horror indizível que durante séculos experimentou a Europa ante o furor da besta germânica (apesar de não haver entre os velhos germanos e nós nenhuma relação de sangue).

Já noutro lugar chamei a atenção a propósito da dificuldade em que devia ter-se achado Hesíodo quando tratou de representar as épocas da civilização nas três idades de ouro, prata e bronze; não pode evitar a contradição que oferecia o mundo homérico, tão magnífico como horrível e brutal, senão dividindo estas idades em duas partes sucessivas: primeiramente a idade dos heróis e semideuses de Troia e de Tebas, conforme haviam ficado impressos na imaginação das raças aristocráticas que neles viam os seus próprios avós, e depois a Idade do Bronze, isto é, o mesmo mundo tal como aparecia aos descendentes dos oprimidos, espoliados, injuriados e vendidos como escravos; uma Idade do Bronze, certamente dura, fria, cruel, insensível, sem consciência, esmagando tudo e regando tudo com sangue. Se se fosse ver e admitir o que hoje se quer admitir como tal, que a finalidade de toda a cultura é domesticar a besta humana, para fazer dela um animal manso e civilizado, um animal doméstico, deverão considerar-se como verdadeiros instrumentos de cultura todos estes instintos de reação e de ressentimento que por fim hão de humilhar, vencer e domar as raças aristocráticas e os seus ideais; verdade é que isto não quer dizer que os representantes daqueles instintos fossem os "instrumentos" da cultura e representassem a mesma cultura. Parece antes o contrário.

Hoje é até evidente, estes "heróis" da baixeza e do ódio, estes resíduos da escravidão europeia e não europeia, principalmente da população pré-ária representam o **retrocesso** da humanidade! Estes instrumentos de cultura são a vergonha da humanidade e fornecem suspeita e argumento contra a própria cultura! É possível que se tenha a maior das razões quando se tem a precaução e não se consiga abandonar o medo da loira besta na profundidade de todas as raças distintas: mas quem não prefere cem vezes ficar com medo quando pode simultaneamente admirar do que ficar com medo, mas não poder salvar-se do aspecto asqueroso dos aleijados, diminuídos, maltratados e envenenados? E não é isto a nossa má sorte? Não é isto o que produz as nossas náuseas pela humanidade?

Porque não há dúvida de que sofremos no homem. Não do medo, mas do fato de que nada mais temos de temer no homem; o verme homem está em primeiro plano e existe aos montões, que o homem "manso" invariavelmente medíocre e insatisfeito já aprendeu a sentir-se como um fim e alvo, como sentido da história, como um homem mais elevado; que tem até certo direito de sentir-se como tal, enquanto se sente na distância da plenitude do que é malfeito, doentio, cansado e vivido pelo qual a Europa hodierna começa a exalar mau cheiro. Isto é, como algo pelo menos relativamente bem-sucedido, pelo menos algo capaz de viver, algo afirmativo à vida.

XII

Não posso aqui sufocar um suspiro e repelir uma última esperança. O que é para mim absolutamente insuportável é justamente aquilo que não posso alcançar, o que me sufoca, o que me abate?

Ar viciado! Ar viciado! O que quer que seja aproxima-se de mim; hei de eu respirar nas entranhas dum cadáver?... O que é que se não suporta em matéria de privações, de intempéries, de desgraças, de cuidados, de desolamentos e de doenças? No fundo todos podemos vencer isto, tais como somos nascidos para uma existência subterrânea, para uma vida de combate; por fim nasce-se à luz, por fim goza-se da adorada vitória, e então levanta-se uma pessoa com valentia, com força, disposta a conseguir novos fins, mais difíceis, mais longínquos, como um arco retesado pela necessidade. Mas de quando em quando – se admitirmos que existem benfeitores celestes além do Bem e do Mal – concedei-me, oh deuses, um olhar com que eu possa achar um ser absolutamente completo, feliz, poderoso, triunfante, no que ainda há algo a temer. Um homem que justifique o bem! Concedei-me que ache uma felicidade que complete e salve o homem pelo qual se possa manter a **fé no próprio homem**... Mas, ao contrário, aqui só vejo a nivelação do homem europeu, que em si contém nosso máximo perigo, espetáculo que cansa o espírito... Nada vemos o que se engrandeça, tudo se rebaixa cada vez mais, se amesquinha, torna-se inofensivo, medíocre, prudente, indiferente, cada vez mais atento, cada vez mais cristão - sem dúvida - "o homem faz-se cada vez **melhor**"... A má sorte da Europa com o medo ante o homem fez-nos perder também o amor que lhe devotávamos, a veneração que lhe tínhamos e a esperança que lhe consagrávamos. O aspecto do homem fatiga-nos.

Esta fadiga é apenas niilismo. O homem fatiga-se do homem.

XIII

Mas voltemos ao nosso assunto, que abandonei para explicar a segunda origem da ideia **"bom"** segundo o imaginou o homem do ressentimento. Que os cordeiros tenham horror às aves de rapina, compreende-se; mas não é uma razão para querer mal às aves de rapina que arrebataram os cordeirinhos.

E se os cordeiros dizem: "Estas aves de rapina são **más**", e o que for perfeitamente o contrário, o que for parecido com um cordeiro é **bom**, nada teríamos que responder a esta maneira de erigir um ideal. Apenas que as aves de rapina responderão com ar de troça: "Nós não queremos mal a estes cordeiros, senão pelo contrário, os apreciamos muito; nada tão saboroso como a carne de um tenro cordeirinho".

Exigir que a força que não se manifesta como tal, que não seja uma vontade de dominar uma rede de inimigos, de resistência e de combate, é tão insensato como exigir a fraqueza que se manifeste como força. Uma quantidade de força corresponde exatamente à mesma quantidade de instinto, de vontade, de ação, e não pode parecer de outro modo, senão em virtude dos sedutores erros da linguagem, segundo a qual todo o efeito está condicionado por uma causa eficiente, por um **sujeito** que compreende e não compreende. Isto é um erro. Assim como a plebe distingue entre o raio e o seu resplendor para considerar este resplendor como uma ação do sujeito **raio**, assim a moral plebeia distingue entre a força e os efeitos da força, como se detrás do homem forte houvesse ***substratum*** neutro que fosse **livre** para manifestar ou não a força. Mas não há tal ***substratum***, não há um ser por detrás do fazer, do ato, do devir, "autor" é apenas inventado: o ato é tudo. A plebe, no fundo, duplica o ato quando ele deixa iluminar o raio: isto é uma ação da ação; a plebe desdobra um fenômeno em efeito e em causa.

Não são mais avisados os físicos quando dizem que a "força opera", a "força move", a "força produz" tal ou qual efeito e outras semelhantes – a nossa ciência acha-se ainda enquadrada, apesar de sua frieza e de sua libertação dos afetos, sob o domínio da linguagem e não pode ainda desembaraçar-se desses "sujeitos" (o "átomo", p. ex., é um desses filhos espúrios, assim como a "coisa em si" de Kant). Não é, pois, de admirar que a sede de vingança e o ódio utilizassem esta crença para sustentar que o forte pode ser fraco, que a ave de rapina pode ser cordeiro: deste modo poderemos acusar a ave de rapina de ser ave de rapina...

Quando os oprimidos, os rebaixados, os servos, cheios de vingança e de impotência, se põem a dizer: "sejamos o contrário dos maus, sejamos bons! O bom é o que não injuria a ninguém, nem ofende, nem ataca, nem usa de represálias, senão que deixa a Deus o cuidado da vingança e vive oculto como nós e evita a tentação e espera pouco da vida como nós os pacientes, os humildes e os justos. Tudo isto quer dizer em suma: "Nós, os fracos, não podemos deixar de ser fracos, não façamos, pois, **nada que não possamos fazer**".

Este fato bruto, essa amarga prudência da última categoria, que até o inseto possui (o qual, em caso de grande perigo, se finge morto), tomou o pomposo título de virtude negadora e expectativa como se a fraqueza do fraco – isto é, a sua essência, a sua atividade, toda a sua realidade única, inevitável e indelével – fosse um ato livre, voluntário, meritório.

Esta classe de homem na realidade necessita crer num **"sujeito neutro"** dotado de livre-arbítrio; é um instinto de conservação pessoal, de afirmação de si mesmo porque toda mentira tende a justificar-se.

O sujeito, ou mais popularmente a alma, foi até aqui o artigo de fé mais inquebrantável, porque permitia à grande maioria dos mortais, aos fracos e oprimidos, esta sublime automentira de ter a fraqueza por liberdade, a necessidade por mérito.

XIV

Quer alguém olhar comigo até ao fundo do mistério onde se oculta a **fabricação do ideal**. Sobre a terra? Quem tem forças para isso?

Olhai. Aqui temos uma janela aberta para essa tenebrosa oficina.

Mas esperai um pouco, senhor temerário; é preciso que a vossa vista se habitue a esta falsa luz, a esta luz cambiante... Assim, pois! Falemos, pois. Que se passa neste abismo? Homem curioso, que vedes? Estou a ouvir-vos.

– Eu não vejo nada, nem ouço... é um rumor prudente, um sussurro apenas perceptível que parece vir de todos os recantos.

– Parece-me que se mente aqui uma doçura como a do mel torna viscosa a palavra. Aqui deve ser onde a mentira transforma a fraqueza em mérito; não há dúvida; é como dissestes!

– E que mais?

– Aqui a mentira chama bondade a impotência, humildade a baixeza, obediência a submissão forçada (eles dizem que obedecem a Deus). A covardia, que está sempre à porta do fraco, toma aqui um nome muito sonoro e chama-se "paciência", chama-se talvez a **virtude**. Não se poder vingar chama-se "não querer vingar-se" e às vezes se chama "perdão das ofensas" e "porque **eles** não sabem o que fazem; nós, porém, sabemos o que **eles** fazem". Também se fala do "amor dos seus inimigos", e nessa ocasião todos suam.

– E que mais?

– São uns desgraçados, sem dúvida, todos estes rezadores, moedeiros falsos. Pretendem que Deus os distingue e os elege em virtude da sua miséria; não se castigam os cães que mais se estimam? Talvez esta miséria seja uma preparação, um tempo de prova, um ensino, talvez um benefício, alguma coisa que será recompensada de certo em ouro, não em felicidade, no que eles chamam de "felicidade eterna".

– E que mais?

– Agora dizem que não só são melhores do que os poderosos e do que os governantes, cujas pisadas beijam (não por temor, mas porque Deus manda honrar toda a autoridade); não só são melhores como também que passariam "melhor"; em todo o caso, algum dia haviam de passar melhor. Mas, basta! Basta!

Não resisto mais! Ar viciado, ar insuportável. Esta oficina, onde se **fabrica o ideal**, cheira-me a mentira e a embuste.

– Um instante! Nada me disse ainda acerca destes virtuosos da magia negra, que fazem do negro brancura de leite e de inocência. Não notastes a sua perfeição de artistas, a sua mentira mais sutil e espiritual? Estes seres subterrâneos, cheios de vingança e de ódio, que fazem dessa vingança e desse ódio? Ouvimos alguma vez linguagem semelhante?

Se houvésseis de dar crédito às suas palavras, suspeitaríeis que vos acháveis em meio de homens do ressentimento?

– Ouço-vos e aplico de novo o ouvido e tapo também o nariz. Ouço-os dizer agora: "Nós, os bons, somos os justos. Não pedem represálias, mas "o triunfo da justiça"; não odeiam os inimigos, mas a "injustiça", a "impiedade"; creem e esperam, não na vingança, na ebriedade da vingança, "é mais doce do que o mel" (já dizia Homero), senão na "vitória de Deus, do **Deus da justiça**, sobre os ímpios", não se chama "irmãos no ódio", mas "irmãos no amor", "bons e justos na terra".

– E como chamam aquele que lhes serve de consolo em todas as penas da existência? – seja fantasmagoria da futura felicidade eterna antecipadamente recebida.

– "Como! É possível o que ouço?" A isso chamam eles "juízo final", "vinda do seu reino", do "Reino de Deus" e, entretanto, vivem na "fé", na "esperança" e na "caridade".

– Basta! Basta!

XV

Em que fé, em que amor, em que esperança? Estes fracos querem ser algum dia os fortes; "o seu reino" chegara um dia; e são tão humildes que lhe chamam "Reino de Deus". Para ver este reino é necessário viver muito, viver além da morte;

é necessário a vida eterna para indenizar-se no "Reino de Deus", desta existência "terrena", passada na fé, na esperança e na caridade. Indenizar-se de que e por quê? Dante enganou-se grosseiramente quando gravou com terrível ingenuidade na porta do seu inferno esta inscrição: "Também a mim o amor eterno me criou".

Por cima da porta do paraíso cristão da "bem-aventurança eterna" poder-se-ia escrever com maior razão: "Também a mim o ódio eterno me criou". Admitindo que uma verdade possa brilhar por cima da porta de uma mentira, em que consiste, pois, a bem-aventurança desse paraíso?... Já o poderíamos adivinhar; mas é melhor deixar a palavra a uma indiscutível autoridade em tal matéria, o grande mestre e santo, Santo Tomás de Aquino: "***Beati in regno coelesti*** – disse com a doçura de uma ovelha – ***videbunt poenas damnatorum, ut beatitudo illis magis complaceat***".

E se queremos ouvir a palavra de um Padre da Igreja que pregava aos seus fiéis contra os cruéis prazeres dos espetáculos públicos? Pois eis o que diz ***De Spectaculis***, c. 29ss.: "A fé oferece-nos alguma coisa **de mais forte**: graças a Cristo Redentor, temos alegrias muito superiores; em vez dos atletas, temos os mártires; queremos sangue? Temos o de Cristo... Mas que é tudo isso comparado com o que nos espera no dia da sua volta, no dia do seu triunfo?" E eis aqui como continua este visionário extático:

> *At enim supersunt alia spectacula, ille ultimus et perpetuus judicii dies, ille nationibus insperatus, ille derisus, cum tanta saeculi vetustas, et tot ejus nativitates uno igne haurientur! Quae tunc spectaculi latitudo! Quid admirer! Quid rideam! Ubi gaudean! Ubi exultem, spectans tot et tantos reges, qui in caelum recepti nuntiabantur, cum ipso Jove, et ipsi suis testibus in imis tenebris congemes-*

centes! Item praesides (os governadores das províncias) *persecutores dominici nominis saevioribus quam ipsi flammis saevierunt insultantibus contra christianos liquescentes! Quos praeterea sapientes illos philosophos coram discipulis suis una conflagrantibus erubescentes, quibus nihil ad Deum pertinere suadebant, quibus animas aut nullas aut non in pristina corpora redituras affirmabant! Etiam poëtàs non ad Rhadamanti nec ad Minois, sed ad inopinati Christi tribunal palpitantes! Tunc magis tragaedi audiendi, magis scilicet vocales* (melhor a voz, mais alto o grito) *in sua propria calamitate; tunc histriones cognoscendi, solutiores multo per ignem; tunc spectandus auriga in flammea rota totus rubens, tunc xystici contemplandi non in gymnasiis, sed in igne jaculati, nisi quod ne tunc quidem illos velim vivos, ut qui malim ad eos potius conspectum insatiabilem conferre, qui in dominum desaevierunt.*

Hic est ille, dicam, fabri aut quaetuariae filius (desde aqui fala Tertuliano dos judeus, como indica esta designação da mãe de Jesus, segundo o Talmud) *sabbati destructor, samarites et daemonium habens. Hic est, quem a Juda redemistis, hic est ille arundine et colaphis diverberatus, spuntamentis dedecoratus, felle et aceto potatus. Hic est, quem clam discentes subripuerunt, ut resurrexisse dicatur vel hortelanus detraxit, ne lactucae suae frequentia commeantium laederentur. Ut talia spectes, ut talibus exultes, quis tibi praetor aut consul, aut quaestor, aut sacerdos de sua liberalitate praestabit? Et tamen haec jam habemus quodammodo per fidem spiritu imaginante repraesentata. Ceterum qualia illa sunt, quae nec oculus vidit nec auris audivit nec in cor hominis ascenderunt* (1Cor 2,9).

Credo circo et utraque cavea (primeira e quarta galeria, ou, conforme outros, a cena cômica e a cena trágica) *et omni stadio gratiora.*

(Per fidem. Porque assim está escrito.)

XVI

Chegamos à conclusão. Os dois valores opostos "bom e mau", "bem e mal", mantiveram durante milhares de anos um combate largo e terrível, e ainda que há muito tempo que o segundo valor logrou vantagem, não faltam ainda hoje terrenos onde a luta continua indecisa. A luta tornou-se cada vez mais alta, mais profunda, mais espiritual, de sorte que hoje talvez não exista nenhum sinal mais decisivo da "natureza mais elevada" do que ser dúplice naquele sentido e talvez realmente é um campo de luta para aqueles contrastes. O símbolo desta luta traçado em caracteres legíveis no cume da história da humanidade é "Roma contra Judeia, Judeia contra Roma". Até ao dia de hoje não houve acontecimento mais notável do que esta luta, esta discussão, este conflito mortal.

Roma via no judeu uma natureza oposta a sua, um antípoda monstruoso, "um ser **convicto de ódio** contra o gênero humano", e com razão, se é certo que a salvação e o futuro da humanidade consistem no domínio absoluto dos valores aristocráticos, dos valores romanos. Pelo contrário, que sentimentos albergavam os judeus a respeito de Roma? Mil indícios nos permitem adivinhá-lo, mas basta recordar o **Apocalipse** de São João, aquelas explosões mais desrespeitosas que já foram escritas, eivadas de vingança. (Profunda era a lógica dos cristãos, quando associaram este livro de ódio ao nome do discípulo de amor, do discípulo a quem se atribuía o evangelho de amorosa exaltação; há nisto sua parte de verdade. Quanta moeda falsa literária foi necessária para esse fim.) Os romanos eram os fortes e os nobres, mais que todos os povos da terra; cada vestígio da sua dominação, a menor inscrição nos maravilha e nos eleva. Os judeus, pelo contrário, eram um povo de levitas e ressentidos *par excellence*, um povo que possuía um singular gênio para a moral plebeia; basta comparar os judeus com os povos de caráter semelhante, como os chineses e os alemães, para discernir quem vem em primeiro lugar e quem em quinto. Qual dos povos venceu, Roma ou Judeia?

A resposta não deixa dúvida: note-se que hoje na própria Roma e em metade do mundo onde o homem amansou ou quer amansar-se, a humanidade inclina-se diante de três judeus e de uma judia. (Jesus de Nazaré, o pescador Pedro, Paulo e Maria, mãe de Jesus.) Este é um fato notável, sem dúvida alguma, Roma foi vencida. É verdade que durante a Renascença houve um maravilhoso despertar do ideal clássico, do ideal aristocrático: a própria Roma, a Roma Antiga, agitou-se como se despertasse de uma letargia, apesar de esmagada pela nova Roma, pela Roma judaica edificada sobre as suas ruínas e que apresentava o aspecto de uma sinagoga ecumênica que se chamava Igreja, mas em breve a Judeia tornou a triunfar, graças a este movimento de ódio (alemão e inglês) fundamentalmente plebeu, que se chama a Reforma, da qual havia de sair, por natural reação, a restauração da Igreja e o restabelecimento de um silêncio sepulcral sobre a Roma Clássica.

Num sentido ainda mais radical e decisivo, ganhou a Judeia outra nova vitória sobre o ideal clássico com a Revolução Francesa: então a última nobreza política, que ainda subsistia na Europa, a dos séculos XVII e XVIII franceses, arruinou-se aos golpes do ressentimento popular, e houve então uma alegria imensa, um entusiasmo ruidoso como nunca se ouviu no mundo. Verdade é que, de repente, apareceu em meio desta transformação a coisa mais prodigiosa e inesperada, o ideal antigo levantou-se **em pessoa** e com esplendor insólito ante os olhos e a consciência da humanidade e, de novo, ressoou mais forte, mais penetrante do que nunca, ante a mentira do ódio, do ressentimento, ante os **privilégios da maioria**, ante a vontade da baixeza, do envilecimento e da nivelação, ante o crepúsculo dos homens, a terrível e mágica palavra **privilégio da minoria**!

Como último índice de um caminho diferente apareceu Napoleão, homem único e tardio como ninguém, encarnação do ideal aristocrático. Pense-se bem no que significa este problema: "Napoleão, síntese de **sub-homem*** e de **super-homem****!..."

XVII

– Que sucedeu depois? Esta antítese ideal, grandiosa como nenhuma, foi relegada para sempre ***ad acta***? Ou antes foi adiada para uma época remota?... Não veremos algum dia reanimar-se o antigo incêndio com maior violência e preparação do que nunca? Mais ainda: Não devemos desejá-lo com todas as nossas forças e contribuir para tal?

Aquele que neste ponto se puser a refletir, como fazem decerto os meus leitores, dificilmente achará saída, o que é também para mim uma razão suficiente para concluir este capítulo, porque creio que já se terá adivinhado o que entendo por título da minha

* (*Un mensch*).

** (*Übermensch*).

última obra, *Além do bem e do mal*... Isto pelo menos não quer dizer: **Além do bom e do mau**.

NOTA: Aproveito a ocasião para exprimir um ardente desejo que até hoje só havia exteriorizado em ocasionais conversas com alguns sábios. Seria para desejar que alguma faculdade de filosofia abrisse concursos para estudos históricos **da moral**. Talvez sirva este livro para um impulso vigoroso nesta direção. Entretanto proponho o seguinte (que talvez atraia mais a atenção dos filólogos e dos historiadores do que dos filósofos profissionais).

"Que indicações nos subministra a linguística e particularmente a investigação etimológica para a história da evolução dos conceitos morais?"

Por outro lado, seria necessário atrair a estes problemas a participação dos fisiólogos e dos médicos (do valor das escalas de valores até hoje usadas). Fique para o filósofo profissional também nesse caso especial encontrar o papel do intermediário e do porta-voz depois que eles conseguiram em geral transformar as relações originalmente tão dispersas e desconfiadas entre filosofia, fisiologia e medicina para um intercâmbio amigável e fertilíssimo.

De fato, seria necessário, antes de tudo, que todas as tábuas de valores, todos os "tu deves" de que falam a história e os estudos etnológicos, fossem aclarados e explicados pelo seu lado fisiológico antes do que pelo psicológico, sofrendo um exame da ciência médica.

A questão de quanto vale esta ou aquela tábua de valores, esta ou aquela "moral", pode ser examinada sob os pontos de vista mais diversos e que principalmente não se pode expor de um modo suficientemente sutil "este" valor para uma coisa que teria grande valor para a conservação de uma raça e aumento de suas forças de assimilação num clima determinado ou para manutenção de maior número, não teria de forma alguma o mesmo valor se se tratasse de criar um tipo superior. O bem da maioria e o bem da minoria são dois pontos de vista completamente opostos: deixaremos à ingenuidade dos biólogos ingleses a liberdade de considerar o primeiro como superior **em si mesmo**... Todas as ciências devem preparar ao filósofo a sua tarefa, que consiste em resolver o **problema dos valores**, em determinar a **hierarquia dos valores**.

Dissertação segunda
A “falta”, a “má consciência” e coisas passadas

I

Educar e disciplinar um animal que pode fazer promessas, não é a tarefa paradoxal que a Natureza impôs ao homem? Que este problema está resolvido até certo ponto elevado deve parecer ao homem tanto mais admirável quanto mais sabe dar valor aquela força que age em sentido contrário, isto é, o esquecimento.

O esquecimento não é só uma ***vis inertiae***, como creem os superficiais, antes é um poder ativo, uma faculdade moderadora, à qual devemos atribuir tudo quanto nos acontece na vida, tudo quanto absorvemos, se apresenta a nossa consciência durante o estado da “digestão” (que poderia chamar-se **absorção psíquica**), do mesmo modo que o multíplice processo da assimilação corporal tampouco fatiga a consciência.

Fechar de quando em quando as portas e janelas da consciência, permanecer insensível às ruidosas lutas do submundo dos nossos órgãos; fazer silêncio e um pouco de ***tabula rasa*** na nossa consciência, a fim de que aí haja lugar para alguma coisa nova, principalmente para as funções mais nobres, para governar, para prever, para pressentir (porque o nosso organismo é uma verdadeira oligarquia); eis aqui, repito, o ofício desta faculdade ativa, desta vigilante guarda encarregada de manter a ordem psíquica, a tranquilidade, a etiqueta. Donde se colige que nenhuma felicidade, nenhuma serenidade, nenhuma esperança, nenhum gozo presente poderiam existir sem a faculdade de esquecimento. O homem em quem não funciona este complexo aparelho de retenção é um verdadeiro dispéptico, nunca **conclui** nada... Ora, este animal necessariamente esquecido, para quem o esquecimento é uma força e uma manifestação de robusta saúde, criou para si uma faculdade contrária, a memória, a qual desliga o esquecimento, e ainda em certos casos obtém a vitória, por exemplo, quando se trata de prometer; não se trata da impossibilidade puramente passiva de se subtrair à impressão recebida nem do mal-estar que causa a palavra dada e não cumprida, senão que se trata da vontade **ativa**, de guardarmos impressões, trata-se de uma continuidade no querer, de uma verdadeira **memória da consciência da vontade**; de sorte que, entre o primitivo "quero", "farei", e o cumprimento da vontade ou execução do ato, encontra-se todo um mundo de coisas novas e ainda de atos da vontade sem que se parta a longa cadeia da vontade. Mas quantas coisas foram mister para chegar a este ponto! Quanto tempo teve o homem que aprender, entre o necessário e o acidental, para penetrar na causalidade, e antecipar e prever o que o futuro oculta, a dispor os cálculos com certeza, a discernir o fim dos meios! Até que ponto o homem teve de fazer-se pensador **metódico, regular, necessário**, tanto quanto ao próximo, quanto às suas próprias ideias, para poder garantir a si como **futuro** como procede todo aquele que promete!

II

Aqui deve procurar-se a origem da **responsabilidade**. Esta tarefa de educar e disciplinar um animal que possa fazer promessa pressupõe outra tarefa: a de fazer o homem determinado, uniforme, regular, e, por conseguinte, calculável. O prodigioso trabalho daquilo a que eu chamei "moral da moral" (*Aurora*, p. 9, 14, 16), o verdadeiro trabalho do homem sobre si mesmo durante o mais longo período da espécie humana, todo o seu trabalho pré-histórico, toma daqui a sua significação e a sua justificação, qualquer que seja o grau de tirania, de crueldade e de estupidez que lhes é própria; unicamente, pela moralização dos costumes e pela camisa de força social, chegou o homem a ser realmente calculável.

Ponhamo-nos, pelo contrário, no termo do enorme ***processus***, na árvore que amadurece os frutos, quando a sociedade e a moralidade apresentam à luz do dia o fim para que eram meios e acharemos que o fruto mais maduro da árvore é o **indivíduo soberano**, o indivíduo próximo de si mesmo, o indivíduo livre da moralidade dos costumes, o indivíduo autônomo e supermoral (pois "autônomo" e "moral" se excluem), numa palavra, o indivíduo de vontade própria, independente e persistente, o homem que **pode prometer** e que possui em si próprio a consciência nobre e vibrante do que conseguiu, a consciência da liberdade e do poder, o sentimento de ter chegado à perfeição humana.

Este homem livre, que **pode** prometer, este dono do livre-arbítrio, este soberano não há de reconhecer quanta superioridade há sobre todas as coisas que não podem prometer e responder por si mesmas, quanta confiança, temor e respeito inspirou o "merece", e como tem nas suas mãos o centro da Natureza, das circunstâncias e das vontades menos potentes? O homem "livre", o senhor de uma vontade vasta e indomável, encontra nessa posse a sua **escala de valores**; fundado em si próprio, para julgar os outros, respeita ou despreza, e assim como venera os seus semelhantes, os fortes que **podem** prometer – aos que prometem como soberanos, dificilmente, rara vez, depois de madura reflexão, avaros de confiança que distingue quando dá confiança, que dão a sua palavra como quem dá uma tábua de mármore, que se sentem capazes de cumpri-la, a despeito de tudo, ainda a despeito do "destino", – e assim também estará disposto a dar um pontapé nos fúteis que prometem sem serem donos da sua promessa, no intrujão já perjuro quando a palavra lhe sai dos lábios. Em tal homem a consciência da **responsabilidade**, a consciência desta liberdade rara, e poder sobre si e o destino chegando às profundidades maiores do seu ser passou ao estado de instinto dominante; como chamar a este instinto dominante, se supusermos que sente a necessidade de um nome? Não oferece dúvida: o homem soberano chama-o de sua **consciência**...

III

A sua consciência?... Compreende-se que esta ideia de "consciência", hoje tão desenvolvida, tenha atrás de si uma larga história na imensa evolução de formas. Responder por si mesmo e responder com orgulho, **dizer sim a si mesmo**, eis um fruto maduro, um fruto **tardio**; quanto tempo teve de estar este fruto, ácido e verde, pendurado na árvore? E, durante um tempo ainda mais longo, não se via nada deste fruto, ninguém podia prever a sua vinda, por mais que na árvore tudo estivesse preparado; por mais que a própria árvore não tivesse outra razão de crescer senão para chegar a esse fruto. "Como pode fazer-se o homem animal com uma memória? Como é que se pode imprimir no animal homem, nesta inteligência de momento, obtusa e turva, nesta incarnação do esquecimento, algo com caracteres tão fundos, que sempre permaneçam presentes?...

Este problema tão antigo, como se pode imaginar, não se resolveu por meio de respostas suaves; talvez na pré-história do homem não haja nada mais terrível do que a sua **mnemotécnica**.

"Imprime-se algo por meio de fogo para que fique na memória somente o que sempre dói", este é um axioma da mais antiga psicologia, e infelizmente o que mais durou. Poderíamos dizer que, onde quer que na vida dos homens e dos povos há solenidade, gravidade, mistério e cores sombrias, fica um vestígio de espanto que noutro tempo presidia às transações, aos contratos, às promessas: o passado, o longínquo, obscuro e cruel passado, ferve em nós quando nos pomos "graves". Noutro tempo, quando o homem julgava necessário criar uma memória, uma recordação, não era sem suplício, sem martírios e sacrifícios cruentos; os mais espantosos holocaustos e os compromissos mais horríveis (como o sacrifício do primogênito), as mutilações mais repugnantes (como a castração), os rituais mais cruéis de todos os cultos religiosos (porque todas as religiões foram em última análise sistemas de crueldade), tudo isto tem a sua origem naquele instinto que descobriu na dor o auxílio mais poderoso da mnemotécnica. Em certo sentido, todo o ascetismo pretende a este domínio; certas ideias devem fixar-se indeléveis na memória, a fim de hipnotizar por meio delas o sistema nervoso e intelectual, suprimindo a concorrência das outras ideias para torná-las inesquecíveis. Quanto menos memória tinha a humanidade, tanto mais de espantar era o aspecto dos seus costumes; o rigor das leis penais permite apreciar especialmente as dificuldades que ela experimentou antes de se fazer senhora do esquecimento e para manter presentes na memória destes escravos das paixões e dos desejos algumas exigências primitivas da vida social. Nós, os alemães, não nos julgamos certamente um povo de sentimentos cruéis e desapiedados, e menos ainda de caráter leviano e pouco previdente; e, contudo, examine-se a nossa antiga organização penal, e ficar-se-á sabendo quanto é difícil educar um "povo de pensadores" (quer dizer, o povo da Europa onde se encontra o máximo de confiança, de gravidade, de mau gosto e de sentido realista, um povo que, por estas qualidades, exerce na educação da Europa uma espécie de mandarinato). Digo que esses alemães tiveram de recorrer aos meios mais atrozes para lograrem uma memória que os fizesse senhores dos seus instintos fundamentais, dos seus instintos plebeus e sua estúpida grosseria. Recordam-se os antigos castigos na Alemanha, entre outros, a lapidação (já a lenda fazia cair a pedra do moinho sobre a cabeça do criminoso, a roda, a mais original invenção germânica no reino do castigo), o jogar com o dardo, o esmagamento sob os pés dos cavalos, o esquartejar, o emprego do azeite ou do vinho para cozer o condenado (isto ainda nos séculos XIV e XV), o fazer tiras do corpo, arrancar os peitos, o expor o malfeitor untado de mel sob um sol ardente às picadas das moscas. Em virtude de semelhantes espetáculos, de semelhantes tragédias, conseguiu-se fixar na memória cinco ou seis "não quero", cinco ou seis promessas, a fim de gozar as vantagens de uma sociedade pacífica, e com estas ajudas da memória alcançou-se a "Ah! A razão, a gravidade, o domínio das paixões, toda esta maquinação infernal que se chama reflexão, todos os privilégios pomposos do homem, quão caro custaram! Quanto sangue e quanta desonra se encontra no fundo de todas estas coisas boas!"

IV

Mas como foi que esta "coisa tenebrosa", essa consciência de culpa, toda essa "má consciência" pôde vir ao mundo?

Eis-nos outra vez às voltas com os genealogistas da moral. Repito-o, será que já o não disse, eles não conhecem o seu ofício. Alguma experiência pessoal, talvez de quatro ou cinco palmos de comprimento, e "moderna", unicamente moderna; nenhum conhecimento do passado, nenhum desejo de o conhecer, muito menos instinto histórico, esta "segunda visão" indispensável; e, contudo, põem-se a escrever a história da moral, e forçosamente chegam a conclusões esquivas com a verdade. Suspeitaram, sequer por sonhos, estes antigos genealogistas da moral que o conceito essencial "culpa" tenha a sua origem na ideia material da "dívida?", ou que o castigo, enquanto represália, se desenvolveu independentemente de toda a hipótese de livre-arbítrio e de obrigação? Sempre é necessário um alto grau de humanização para que o animal homem comece a distinguir entre ideias muito mais primitivas, por exemplo, "de propósito", "por descuido", "por acaso", "com discernimento", e os seus contrários para pô-los em relação com a severidade do castigo.

Esta ideia, hoje tão geral, e na aparência tão natural e necessária para explicar a formação do sentimento de justiça de que "o criminoso merece o castigo **porque** teria podido proceder de outro modo", é, realmente, uma forma muito tardia e requintada do juízo e da indução, e quem a coloca nas origens erra grosseiramente acerca da psicologia da humanidade primitiva. Durante o período mais largo da história humana não castigavam o malfeitor **porque** o julgassem responsável pelo seu ato; nem sequer se admitia que só o culpado devia ser castigado. Antes se castigava então como os pais castigam agora os filhos, arrebatados pela cólera que o dano excita e cujo dano deve ser separado por quem o fez; mas esta cólera é mantida em certos limites e modificada no sentido de que todo o dano encontre de algum modo o seu equivalente, sendo susceptível de compensar-se ao menos por uma dor que sofra o autor do prejuízo. Donde tirou o seu poder esta ideia primordial, tão arraigada? Esta ideia, talvez indestrutível de que o prejuízo e a dor são equivalentes? Já resolvi o enigma; as relações contratuais entre **credores** e **devedores** que são tão antigas quanto os processos que, por sua vez, nos levam às formas primitivas da compra e venda, do câmbio, comércio e relações.

V

Quando imaginamos estas relações de contratos, acodem à nossa mente, desde o início, como é de esperar do que eu disse anteriormente, múltiplas suspeitas e antipatias de todo o gênero contra a humanidade primitiva que inventou ou tolerou estas relações. É ali justamente que **se promete**, justamente ali que se **forma** a memória daquele que promete; é ali justamente, assim se pode suspeitar, o lugar onde se encontra a crueldade e a dureza. O devedor, para inspirar confiança na sua promessa de pagamento, para dar uma garantia de sua seriedade, de sua promessa, para gravar na sua própria consciência a necessidade de pagamento sob a forma do dever, da obrigação, compromete-se, em virtude de um contrato com o credor, a indenizá-lo, em caso de insolvência, com alguma coisa que "possui", e ainda tem poder, por exemplo, com seu corpo, com a sua mulher, com a sua liberdade ou com a sua **vida** (e ainda em alguns religiosos com a sua salvação eterna, com o seu repouso no túmulo, por exemplo no Egito, onde o cadáver do devedor nem no sepulcro encontrava a tranquilidade). O credor, o que significava muito para os egípcios, poderia degradar e torturar de todos os modos o corpo do devedor, e cortar dele aquelas partes que parecessem proporcionadas à importância da dívida; baseando-se nesta maneira de ver, houve, desde tempos remotos, e em toda a parte, avaliações precisas, atrozes na sua precisão, taxações legais dos diversos membros e partes do corpo.

E é já um progresso, é prova de uma concepção jurídica mais liberal, mais elevada, **mais romana**, esse decreto das Doze Tábuas, que estabelecia ser indiferente que o credor cortasse mais ou menos, ***si plus minusve secuerunt, ne fraude esto***, Consideremos a lógica que há nesta forma de compensação; é bastante estranha; eis em que consistia a equivalência. Em lugar de um benefício que compensasse diretamente o dano causado (em lugar de dinheiro, bens, etc.), concedia-se ao credor certa satisfação e gozo à maneira de compensação e pagamento, a satisfação de exercer impunemente o seu poderio com respeito a um ser reduzido à impotência, o deleite ***"de faire le mal pour le plaisir de le faire"***, a alegria de tiranizar, e este gozo é tanto mais intenso quanto mais baixa é na escala social a classe do credor, quanto mais humilde é a sua condição, porque então é-lhe mais saboroso o bocado, por ser um antegozo de uma classe superior.

Pelo castigo do devedor, o credor participa do **direito de senhor**: finalmente chegou a sua vez de saborear uma sensação enobrecedora de desprezar e maltratar o que esteja por baixo dele, ou, pelo menos, de poder maltratá-lo quando a aplicação da pena foi delegada à autoridade, contentando-se em **ver** como é maltratado aquele ser inferior. A compensação consiste, pois, na promessa e no direito de ser cruel.

VI

É nesta esfera que têm origem os conceitos morais de "culpa", "consciência", "dever", "santidade do dever". Estas ideias, como tudo o que é grande sobre a terra, foram regadas profusamente por sangue. E não poderíamos dizer que este mundo, em sua profundidade, nunca perdeu de todo certo cheiro a sangue e a tormentos? (até mesmo o imperativo categórico do velho Kant se ressente de crueldade...) Este encadeamento das ideias "culpa" e "dor" começou assim a formar-se. Mas como pode a dor compensar as dívidas?

Muito simplesmente: o **fazer** sofrer causava um prazer imenso à parte prejudicada, que recebia, em compensação pelo desprazer do prejuízo, o extraordinário gozo de fazer cobrar – isto era uma verdadeira **festa**! Como dissemos, mais alta era a cobrança, quanto maior era o contraste entre a posição social do credor e a do devedor. Isto como uma probabilidade, porque é difícil ver algo claro no fundo destas coisas subterrâneas, sem pensar em que o exame é aqui muito doloroso. Mas quem introduz nesta questão a ideia de "vingança" torna mais espessas as trevas em vez de as dissipar, porque a vingança conduz-nos ao mesmo problema: "Como é que o fazer sofrer pode ser uma satisfação?" É verdade que repugna a delicadeza, ou antes a hipocrisia dos animais domesticados (leia-se: os homens modernos; leia-se: nós mesmos), o representar-se vivamente até que ponto a crueldade era o gozo favorito da humanidade primitiva e entrava como ingrediente em quase todos os seus prazeres, e, por outro lado, quão inocente e cândida parecia esta necessidade de crueldade, esta "maldade desinteressada" (ou, como diz Spinoza, **simpatia malevolente**), e como parece ser atributo **moral** do homem, e, portanto, alguma coisa a que a consciência pode orgulhosamente responder "sim". Um olhar penetrante talvez reconheça hoje no homem os vestígios daquelas ferozes alegrias; no *Além do bem e do mal*, p. 188, e antes na *Aurora*, p. 18, 77, 113, indiquei já de maneira circunspecta a espiritualização e divinização progressiva da crueldade, a qual deixou vestígios na história de toda a cultura superior, como se fosse a sua origem. Em todo o caso, não há muito que se não podia conceber um casamento de príncipes ou uma grande festa popular sem execuções capitais, sem suplícios e um auto-da-fé, assim como nas casas dos nobres havia que dar livre-curso à crueldade do senhor, ou as burlas dos criados ou a malícia do bobo (recorde-se Dom Quixote em casa da duquesa; ao lê-lo, vem-nos hoje à boca um gosto muito amargo, coisa que pareceria estranha e ainda incompreensível ao autor e aos seus contemporâneos, porque liam este livro com a consciência mais tranquila, como o livro mais alegre, e só faltavam morrer de tanto rir). Ver sofrer, alegra; fazer sofrer, alegra mais ainda; há nisto uma frase dura, uma antiga verdade "humana, demasiado humana", à qual talvez subscrevessem os macacos, porque, na verdade, e diz-se que com a invenção de certas bizarras crueldades anunciam já o advento do homem. Sem crueldade não há gozo, eis o que nos ensina a mais antiga e remota história do homem; o castigo é também uma festa.

VII

Com estas reflexões não estou disposto a levar água ao moinho dos nossos descontentes da vida, dos pessimistas; ao contrário, no tempo em que a humanidade não se envergonhava ainda da sua crueldade, a vida sobre a terra era mais serena e feliz do que nesta época de pessimismo. O céu obscureceu-se sobre o homem, proporcionalmente à vergonha que ele experimentou ante sua visão **do homem**. O olhar pessimista e fatiado, a desconfiança no enigma da vida, a glacial negação ditada pelo enfado, não são os sinais característicos daquela época cruel da humanidade; ao contrário, só aparecem à luz do dia como as plantas de charco que elas realmente são, quando existe, charco ao qual elas pertencem; refiro-me à feminilidade e ao moralismo doentio que ensinou o homem a envergonhar-se de todos os seus instintos. Na sua porfia por converter-se em "anjo" (para não empregarmos uma palavra mais dura), o homem conseguiu esta fraqueza do estômago e a língua saborosa, que além de perverter a alegria e a inocência animal ainda lhe tornou insípida a própria vida: de sorte, algumas vezes, inclina-se sobre si mesmo, tapando o nariz, como o Papa Inocêncio III faz de mau humor o catálogo das suas repugnâncias (procriação impura, nutrição nauseabunda no ventre de sua mãe, má qualidade da substância donde provém o homem, mau cheiro, secreção de saliva, de urina e de excrementos).

Hoje, que se aduz à dor como o primeiro argumento contra a existência, como o problema mais funesto da vida, bom será recordar aquele tempo em que se julgava o contrário, porque se não podia passar sem fazer os outros sofrer, e nisto havia uma diversão de primeira ordem, uma verdadeira isca para atrair o maior gozo para a vida. Talvez que então – seja dito para consolo dos delicados – a dor não se sentisse tanto como agora; pelo menos, um médico que tratou de negros (considerando estes como representantes do homem pré-histórico, em casos difíceis de infecções internas e graves, que leva o europeu mais controlado quase ao desespero, conhecerá que no negro não se observam esses fatos). (A curva de aptidão para a dor parece, de fato, baixar extraordinariamente enquanto se passam os primeiros dez milhares ou milhões de anos da supercultura; por minha parte creio que uma só mulher sapiente histérica sofre numa noite mais que todos os animais, cujas carnes palpitantes foram interrogadas por meio da faca em pesquisas com intenções científicas.) Talvez deva admitir-se que o deleite de crueldade não desapareceu; apenas necessitaria, em relação ao fato de como hoje a dor faz mal, de uma certa sublimação e subtilização e revestiu das cores da imaginação, se espiritualizou e se cobriu com nomes inofensivos que não provoquem qualquer suspeita às consciências mais delicadas e hipócritas: "compaixão trágica", "*les nostalgies de la croix*". O que verdadeiramente nos repugna não é a dor, mas a falta do sentimento da dor; nem para o cristão, que fazia penetrar na dor todo um mecanismo secreto de redenção, nem para o homem cândido dos antigos tempos, que interpretava a dor na sua relação com o espectador ou com o verdugo, existiu nunca tal **falta de significação do sentimento**. E para desterrar do mundo a dor oculta e sem testemunhas para o negar de boa-fé, tornou-se necessário inventar deuses e criaturas intermédias de todas as alturas e profundezas e finalmente algo que se movimente nas trevas e que não perderia facilmente um espetáculo de dor tão interessante.

Com a ajuda de tais invenções, conseguiu a vida justificar o seu próprio "mal"; talvez hoje precisássemos de outras invenções, por exemplo, considerar a vida como um enigma, como um problema do conhecimento.

"Todo o mal está justificado desde que um Deus se compraz em olhar para ele", assim fala a antiga lógica do sentimento pré-histórica, e efetivamente teria sido só a pré-história?

Os deuses, como afeiçoados aos espetáculos cruéis: como ressalta ainda esta noção primitiva em meio da nossa civilização europeia!

Consulte-se talvez Lutero e Calvino. O certo é que os gregos condimentavam a felicidade dos seus deuses, com os prazeres da crueldade. Como olhavam os deuses de Homero o destino dos homens? Que ideia tinham da Guerra de Troia e de outros horrores trágicos? Neste ponto não há dúvida: eram brinquedos que alegravam os deuses, e como o poeta é uma espécie mais "divina" que o resto da humanidade, também para ele eram brinquedos... Mais tarde, os filósofos moralistas da Grécia pensavam que a atenção dos deuses permanecia fixa nas lutas morais, no heroísmo e nas autotorturas dos virtuosos: o Hércules do dever, estava num teatro e sabia-o: a virtude sem testemunhas era inconcebível para este povo de comediantes. A invenção filosófica tão temerária e nefasta do "livre-arbítrio", da absoluta espontaneidade do homem para o bem e para o mal, não deveu a sua origem à necessidade de justificar o interesse **inesgotável** que os deuses acham na virtude humana? Nesta cena do mundo, não deviam faltar sempre verdadeiras novidades, inauditas intenções e catástrofes: um mundo planejado em termos completamente determinísticos seria muito previsível e se tornaria logo cansativo para os deuses – razão suficiente para esses amigos dos deuses, os filósofos, não imputar uma espécie de mundo determinístico dessas aos deuses!

Toda a humanidade antiga está cheia do respeito "Ao espectador", porque este mundo estava feito para os olhos e não podia conceber-se a felicidade sem espetáculos e sem festas. Até o grande castigo, repito, era uma festa!...

VIII

O sentimento do dever, da obrigação pessoal, tem origem, segundo vimos, nas mais antigas e mais primitivas relações entre os indivíduos, as relações entre credor e devedor: aqui, pela primeira vez, a pessoa opõe-se à pessoa e mede-se a pessoa com a pessoa. Não há estado social, por mais rudimentar que seja, em que se não observem estas relações. Fixar preços, estimar valores, imaginar equivalências, cambiar, tudo isto preocupa de tal modo o pensamento primitivo do homem, quem, em certo sentido, foi o próprio **pensamento**; aqui aprendeu a exercitar-se a mais antiga espécie de sagacidade; aqui brotou o primeiro germe do orgulho humano, o seu sentimento de superioridade sobre os outros animais. Tanto assim, que a palavra alemã *Mensch* (manas) exprime o que quer que seja deste sentimento: o homem designa-se a si próprio como ser que mede valores, que aprecia e avalia como animal valorador por natureza.

A compra e venda e os seus corolários psicológicos são anteriores às origens de toda a organização social, e o sentimento que nasceu da troca, do contrato, da dívida, do direito, da obrigação, da compensação, transportou-se logo para os complexos sociais mais primitivos e mais grosseiros (nas suas relações com outras agrupações idênticas), ao mesmo tempo em que o hábito de comparar uma força com outra força, de as medir e calcular. O olhar acostumou-se a esta perspectiva, e, com a teimosia própria do cérebro pesado do homem primitivo que segue desapiedadamente a direção tomada, depressa se chegou a esta grande máxima: "Tudo tem seu preço, tudo pode ser pago". Este foi o cânone moral mais antigo e mais ingênuo da justiça, o começo de toda a "bondade", de toda a "equidade", de toda a "boa vontade", de toda a "objetividade" sobre a terra.

A justiça, neste primeiro grau da sua evolução, é a boa vontade entre pessoas de poder igual, bons desejos de se entenderem mutuamente por meio de um compromisso; enquanto as pessoas de classes inferiores eram obrigadas a **aceitar** (uma compensação).

IX

Sempre com a medida dos tempos pré-históricos (pré-história é aquele tempo que existiu em todos os tempos e talvez é possível ainda novamente) assim também são as relações da comunidade com os seus membros, as relações de um credor com os seus devedores.

Viver em sociedade quer dizer estar protegido na vida e gozar das vantagens da comunidade (oh! Que vantagens! Nós, às vezes, as desprezamos!), quer dizer gozar da paz e da confiança, estar livre de certos danos e perigos aos quais continua exposto o que vive fora da comunidade – um alemão sabe o que "miséria" (***Êlend***) significava primitivamente – como justamente em relação a esses prejuízos e hostilidades se empenhe e se obrigue à comunidade.

Em caso contrário, o que sucederá? A comunidade, o credor far-se-á pagar a sua dívida como puder, disso pode estar certo. Aqui não se trata só de um prejuízo: o culpado é também violador do compromisso, e falta à sua palavra para com a comunidade, que lhe assegurava e lhe concedia tantas vantagens e prazeres.

O culpado é um devedor que não só não paga as vantagens obtidas, as suas dívidas, como também ofende o credor: a partir desse momento não só se priva de todos estes bens e vantagens, como também será lembrada a importância desses bens. A cólera do credor, isto é, da comunidade ofendida, constitui-o outra vez ao estado selvagem, põe-no fora da lei, recusa-lhe a proteção e contra ele pode já cometer-se qualquer ato de hostilidade. O "castigo" é simplesmente a imagem, a **mímica** da conduta normal a respeito do inimigo detestado, desarmado e abatido, que perdeu todo o direito não só à proteção, mas também à piedade; é o grito de guerra, o triunfo do ***vae victis*** em toda a sua inexorável crueldade.

Isto explica como a própria guerra e os sacrifícios guerreiros revestiram todas as formas sob as quais aparece o castigo na história.

X

À proporção que aumenta o poderio de uma comunidade, esta dá menos importância às faltas dos seus membros, porque já lhes não parecem perigosas nem subversivas; o malfeitor já não está reduzido ao estado de guerra nem é mais expulso, não pode cevar-se nele seus instintos e a cólera geral: ao contrário: defendem-nos e protegem-nos contra esta cólera, principalmente do que é imediatamente prejudicado, o aplacar a cólera dos prejudicados, o localizar o caso para evitar distúrbios, e procurar equivalência para harmonizar tudo (***compositio***) e principalmente a vontade decisivamente evidente de considerar toda a infração como **expiável** e isolar portanto o delinquente do seu delito, tais são os traços que caracterizam o ulterior desenvolvimento do direito penal. À medida, pois, que aumentam numa sociedade o poder e a autoconsciência de uma comunidade, vai-se suavizando o direito penal, e, ao contrário, quando se manifesta uma fraqueza ou um grande perigo, reaparecem a seguir os mais rigorosos castigos. Isto é, o credor humanizou-se à proporção que se foi enriquecendo; pois, finalmente, a sua riqueza mede-se pelo número de prejuízos que pode suportar. E até se concebe uma sociedade com tal consciência do seu poder, que se permita o luxo de deixar impunes os que a ofendem.

"Que me importam a mim esses parasitas? Que vivam e que prosperem; eu sou forte bastante para não me inquietar por causa deles..."

A justiça, pois, que começou por dizer: "tudo pode ser pago e deve ser pago" é a mesma que, por fim, fecha os olhos e não cobra as suas dívidas e **se equilibra a si mesma** como todas as coisas boas deste mundo.

Esta autoigualação da justiça chama-se **graça,** e é privilégio dos mais poderosos, dos que estão além da justiça.

XI

Duas palavras contra as recentes tentativas para achar a origem da justiça noutro terreno muito distinto, no **ressentimento**.

Aos psicólogos, se algum dia lhes der na vontade estudar de perto o ressentimento, eu dir-lhes-ia ao ouvido que esta flor que faz luzir hoje as suas cores entre os anarquistas e os antissemitas, assim como noutro tempo se manteve na sombra como a violeta, ainda que com aroma muito diverso. E como o semelhante nasce do semelhante, não é de maravilhar que precisamente neste terreno se hajam feito tentativas, e não pela primeira vez (supra), para santificar a **vingança** sob o nome de **justiça**, como se a justiça, em seus fundamentos, não fosse mais do que um contínuo desenvolvimento de sentir-se ofendido, e também para honrar posteriormente com a vingança o conjunto de todos os afetos reativos. Este último, pelo menos, pouco se choca: até me pareceria um mérito em relação àquele problema biológico (em relação ao qual aqueles aspectos foram menosprezados).

Quero chamar a atenção que precisamente do espírito de ressentimento haja saído este novo motivo de uma barata equidade científica (em proveito do ódio, da inveja, do despeito, da desconfiança, do rancor, da vingança). Mas eu creio que essa "equidade científica" interrompe imediatamente e dá lugar a acentos de inimizade mortal e predisposição logo que se trate de outro grupo de emoções, que me parece são de um valor biológico muito mais elevado do que aqueles **reativos** e que merecem em consequência de serem tachados e estimados cientificamente; isto é, os afetos puramente ativos, como a vontade de reinar, a sovinice e outros [DÜHRING. *Werte des Lebens; Cursus der Philosophie* (*O valor da vida – curso de filosofia*), basicamente, tudo]. Também contra o que se refere à frase isolada de Dühring que a origem da justiça deve procurar-se nas regiões do sentimento reativo, é preciso, por amor da verdade, voltá-lo às avessas e dizer: "O **último** domínio conquistado pelo espírito de justiça é o de sentimento reativo". Quando efetivamente acontece que o homem justo continua sendo justo para com aquele que o ofendeu (justo, e não só frio, comedido, desdenhoso, indiferente, ser justo implica sempre um proceder **positivo**); quando, apesar das ofensas pessoais, dos insultos e das calúnias, conserva inalterável a subjetividade alta e clara, profunda e terna do seu olhar, então será necessário reconhecer nele alguma coisa, assim como a perfeição incarnada, como o maior autodomínio da terra, algo que nem sempre se deve esperar nem crer facilmente.

Em tese geral é mais que certo que ainda às pessoas mais íntegras basta uma pequena dose de perfídia, de malícia, e de insinuação, para lhes fazer subir o sangue à cabeça e destruir a sua equidade. O homem ativo, agressivo, excessivo está cem vezes mais próximo da justiça do que o homem "reativo" e não necessita de forma alguma considerar o seu objeto de modo errado como deve fazer o homem reativo. Efetivamente, em todos os tempos, tem o homem agressivo como o mais forte, o mais corajoso e mais nobre, tem o olhar mais livre, a melhor consciência do seu lado. De modo inverso já se pode adiantar a quem de qualquer modo poderem debitar a invenção da "má consciência" do homem do ressentimento. Finalmente consulte-se a história em que esfera se exerceu mais a manipulação da justiça e também onde se impõe o direito. Porventura na do homem reativo?

Do ponto de vista histórico, a justiça na terra representa a luta justamente contra os sentimentos reativos. A guerra contra os mesmos, por parte das forças ativas e agressivas, que usavam a sua força em parte para reduzir o excesso do ***pathos*** reativo e obrigavam a um compromisso para desgosto do já citado agitador (que numa ocasião confessou: "A doutrina da vingança atravessa todos os meus escritos, todas as minhas aspirações e esforços, como o fio vermelho da justiça").

Onde quer que exista a justiça, vemos um poder forte ante os outros poderes fracos, procurando pôr um termo aos insensatos furores do ressentimento, quer arrancando o objeto do ressentimento às mãos vingadoras, quer declarando a guerra aos inimigos da paz e da ordem, quer inventando compromissos, que propõe e impõe, quer dando força de lei a certas equivalências dos prejuízos, isto é, a todo um sistema de obrigações morais.

O mais decisivo, porém, o que a força suprema faz e faz valer contra a supremacia dos sentimentos contrários e posteriores – ela sempre o faz, uma vez que é de qualquer modo suficientemente forte para isso –, é o levantamento da **lei**, a declaração imperativa a respeito daquilo que, de qualquer modo, a seus olhos, tem o valor de lícito e o que deve ser considerado como proibido e injusto. Tratando, segundo a lei, os atos arbitrários e violentos dos indivíduos ou grupos como transgressões da própria lei, como desobediência ao Poder Supremo. Este aparta a atenção dos danos imediatos e chega a um termo absolutamente oposto ao que se propõe a vingança, a qual só olha do ponto de vista do prejudicado e só a este deixa valer; doravante exercita-se a visão para uma apreciação cada vez mais impessoal do fato reprovado até a visão do próprio prejudicado (embora isso no último lugar, como já disse anteriormente).

Por conseguinte, sem a instituição da lei não pode haver questão de "justiça" e de "injustiça" (e não, como quer Dühring, depois de cometido o ato). Falar de justiças e injustiças, em si mesmas, não tem sentido; porque uma infração, uma violação, uma espoliação, **não podem ser injustas** em si procedendo a vida essencialmente por infração, violação, destruição e espoliação. E é ainda preciso confessar uma coisa mais grave: debaixo do ponto de vista biológico mais elevado, as condições de vista legais são restrições da vontade de viver propriamente dita, que quer dominar e estão subordinadas a esta tendência geral, como meio único do fim geral, isto é, como meio de criar maiores unidades de poder. Imagine-se uma organização jurídica soberana e geral, não como arma para a luta, mas como arma contra toda a luta, como alguma coisa enfim que fosse conforme o clichê comunista de Dühring, como uma regra que nivelasse todas as vontades, e teríamos assim um meio de dissolução e de destruição da humanidade, um atentado contra o futuro do homem, um sintoma de cansaço, um caminho encoberto para o nada.

XII

Duas palavras ainda, acerca da origem e finalidade do castigo. Eis finalmente dois problemas distintos que se desfazem ou que se deviam desfazer-se e que, contudo, costumamos confundir numa unidade. Como procederam nisto os genealogistas da moral? Como sempre, foram ingênuos; descobrem no castigo um fim qualquer, por exemplo, a vingança ou a intimidação, e colocam este fim na origem como ***causa fiendi*** do castigo; e ficam tão tranquilos! O "fim do direito" não deve, em último lugar, ser usado para aplicar sentenças à história das origens do direito; ao contrário, não existe para todo o gênero de história nenhuma sentença mais importante que aquela que for obtida com tanto sacrifício, mas que efetivamente **devia ser** obtida – pois o motivo da origem de uma coisa e sua utilidade final, seu emprego eficiente e subordinação num sistema de fino ***todo coelo*** distanciou-se uns dos outros, que, uma vez produzida uma coisa, vê-se submetida necessariamente a potências que usam dela para fins distintos; que todo o fato no mundo orgânico está intimamente ligado às ideias de "subjugar", de "dominar" e que toda a dominação equivale a uma interpretação sucessiva, a um novo acomodamento da coisa, no qual todo "sentido" e "fim" devem ser necessariamente obscurecidos ou completamente apagados. Dado o caso de alguém compreender em todos os seus detalhes a utilidade de um órgão fisiológico (ou de uma instituição jurídica, de um costume social, de um uso político, de uma forma artística ou de um culto religioso); mas daí não se segue que nada se saiba acerca da sua origem, e isto poderá desagradar aos velhos, porque sempre se julgou achar nas causas finais de uma forma ou instituição a sua razão de ser própria; por exemplo, que o olho foi feito para ver, a mão para agarrar. Assim se acreditava que o castigo fora feito para a punição.

Mas realmente o fim e a utilidade não são mais do que um indício de que uma vontade poderosa subjugou outra coisa menos potente e lhe imprimiu o sentido de uma função: toda a história de qualquer "coisa", de qualquer "costume", pode ser uma cadeia não interrompida de interpretações e de aplicações sempre novas, cujas origens talvez não estejam ligadas entre si e não precisam estar em contato. Ao contrário, em certas condições casualmente se amem uns aos outros e se substituem.

O "desenvolvimento" de uma coisa, de um costume, de um órgão, não é uma progressão para um fim e menos uma progressão lógica e direta realizada com o mínimo de forças e de despesas; é antes uma sucessão constante de fenômenos mais ou menos independentes e violentos, de coisas subjugadas por outras coisas, sem esquecer as resistências e as metamorfoses que entram em jogo para a defesa e para a reação e também os resultados das ações contrárias do bom êxito. Se a forma é fluida, o "sentido" ainda mais o é... E o mesmo sucede em todo o organismo; quando o conjunto cresce de uma maneira essencial, muda-se o sentido de cada órgão, e, em certas circunstâncias, a perda de um órgão ou a sua diminuição pode servir de indício de um aumento de força e de um progresso para a perfeição. Quero dizer que a inutilização parcial, a degeneração, a perda da finalidade, numa palavra, a morte, pode ser um verdadeiro progresso que aparece sob a forma de vontade, de direção para um poder mais considerável, e que se realiza sempre a expensas dos poderes inferiores. A importância de um "progresso" mede-se pela magnitude dos sacrifícios que requer; a humanidade como massa é sacrificada para o bem-estar de uma experiência a mais, eis um progresso.

Faço ressaltar este ponto capital do método histórico, porque vai contra os instintos dominantes do dia, os quais prefeririam o azar absoluto, e ainda o absurdo mecanicista, a teoria de uma **vontade de domínio** que intervenha em todos os acontecimentos. Esta idiossincrasia dos democratas, este ódio a tudo o que manda ou quer mandar, este "misarquismo" moderno (para coisa má, nome pior) espiritualizou-se e vai-se infiltrando gota a gota nas ciências mais exatas e objetivas; parece-me que já se faz senhor da fisiologia e da biologia, claro está com prejuízo de ambos, porque as escamoteou um conceito fundamental, o da atividade propriamente dita. Por esta idiossincrasia se inventou a "faculdade de adaptação", isto é, uma atividade de segunda ordem, uma "reatividade", e até se definiu a vida em si mesma como uma adaptação interior, cada vez mais eficaz, às circunstâncias exteriores (Herbert Spencer). Mas com isto se desconhece a essência da vida, a **vontade de potência**, e passa-se por alto a preeminência elementar às forças espontâneas, agressivas, conquistadoras, usurpadoras, transformadoras, e que sempre estão produzindo novas exegeses e novas direções, submetendo a suas leis a própria adaptação. Assim se nega também a soberania das funções mais nobres do organismo, funções em que a vida se manifesta como ativa e plástica.

Recorde-se o que disse Huxley e Spencer acerca do seu "niilismo administrativo". Aqui trata-se de alguma coisa mais do que de "administração".

XIII

Voltando ao nosso assunto, isto é, ao **castigo**, é mister distinguir nele duas coisas: por uma parte, o que temos de relativamente **permanente**, o costume, o ato, o "drama", certa série de processos estritamente determinados, e, por outra parte, a fluidez, a finalidade, a expectativa que se liga na execução de tais processos.

É necessário admitir aqui, por analogia, segundo os principais pontos de vista do método histórico, antes de desenvolvido, que o próprio processo é anterior à sua utilização para o castigo, isto é, que o castigo foi **introduzido** por interpretação no processo (que já existia, mas cujo emprego tinha outro fim); numa palavra, que não sucede aqui, como creram os nossos cândidos genealogistas do direito e da moral, para quem o processo foi **inventado** com o fim do castigo, como antigamente se acreditava que a mão fosse criada para agarrar. Enquanto ao elemento móbil do castigo, ou seja, a finalidade, num estado de civilização muito avançada (p. ex., a da Europa), o "castigo" não tem uma só finalidade, mas uma síntese de finalidades: todo o passado histórico do castigo, toda a história da sua utilização para fins diversos, se cristaliza, por último, em certa unidade difícil de resolver, difícil de analisar, e, sobretudo, absolutamente impossível de definir. (É impossível dizer hoje por que se castiga: todos os conceitos em que se resume de um modo semiótico uma larga evolução são indefiníveis; só se define o que não tem história.) Pelo contrário, num estado social mais rudimentar: esta síntese de finalidades parece mais analisável e pode cada qual dar conta de como em cada caso particular se modificam em valor e em ordem os elementos da síntese, de modo que ora sobressai e predomina um, ora outro. Em certas circunstâncias, **um** elemento, talvez com a finalidade de aterrorizar, parece anular todos os elementos restantes. Para dar pelo menos uma impressão de quão incerta e vindicativa é a finalidade do castigo e como um mesmo procedimento pode ser utilizado, interpretado e modelado com intenções essencialmente diferentes, eis a lista que eu pude fazer com poucos e fortuitos materiais:

Castigo, meio de impedir o criminoso de continuar a causar dano.

Castigo, meio de redimir-se para com a pessoa ofendida e sob uma forma qualquer (p. ex., uma compensação em forma de dor).

Castigo, meio de restringir e limitar uma perturbação de equilíbrio para que se não propague.

Castigo, meio de inspirar terror aos que determinam e executam o castigo.

Castigo, meio de compensar as vantagens obtidas até então pelo criminoso (p. ex., quando é utilizado como escravo nas minas).

Castigo, meio de eliminar um elemento degenerado (e às vezes toda uma família, como na China; meio, pois, de depurar a raça e de manter o tipo).

Castigo, ocasião de festa para celebrar a derrota de um inimigo, enchendo-o de insultos.

Castigo, meio de criar uma recordação, quer no castigado ("correção"), quer nos espectadores.

Castigo, pagamento de honorários ao poder que protege o malfeitor contra os excessos da vingança.

Castigo, compromisso com o estado primitivo da vingança, mantido em vigor por poderosas raças, se o reivindicam como um privilégio.

Castigo, declaração de guerra e medida de política contra um inimigo da paz, da lei, da ordem, da autoridade, violador dos tratados que garantem a existência da sociedade, perigoso, rebelde, traidor e perturbador, a quem há que combater por todos os meios de que a guerra dispõe.

XIV

Esta lista não é completa, porque é evidente que o castigo encontra a sua utilidade em todas as suas circunstâncias. Ser-me-á, pois, lícito negar-lhe uma utilidade **suposta**, que na consciência popular passa por essencial: a fé no castigo, quebrantada hoje por vários motivos, acha ainda nesta opinião o seu mais firme sustentáculo. Refiro-me aos que dizem que o castigo tem a propriedade de despertar no culpado o **sentimento da falta**, e que é o verdadeiro instrumento desta reação psíquica que se denomina "má consciência" ou "remorsos".

No entanto, é atentar contra a realidade e contra a psicologia, ainda pelo que diz respeito à nossa época: e quanto mais ainda se se considerar a larga história do homem, toda a sua história primitiva! O verdadeiro remorso é excessivamente raro, em particular entre os malfeitores e criminosos. Os cárceres não são os lugares mais próprios para o desenvolvimento deste verme roedor. Nisto são unânimes todos os observadores conscienciosos. Em tese geral, o castigo endurece; concentra e aguça os sentimentos de aversão: aumenta a força de resistência. E assim acontece que quebranta a energia e produz uma prostração e humilhação voluntárias, tal resultado é ainda menos edificante que o efeito ordinário do castigo, o qual consiste numa gravidade seca e triste. Se nos trasladamos aos milhares de anos que precederam a história do homem, veremos que o castigo foi precisamente o que mais atrasou o desenvolvimento do sentimento da culpabilidade, pelo menos entre as vítimas das autoridades repressivas.

E não esqueçamos que o próprio aspecto dos processos judiciais e executivos impede o criminoso de condenar em si o seu erro e a natureza da sua ação; porque vê cometer em serviço da justiça, cometer com tranquilidade de consciência, e, por último, aprovar a mesma espécie de ação, isto é: a espionagem, a astúcia, a perfídia, o suborno, toda a arte cheia de astúcias da polícia e do acusador, e a seguir aquelas ações essencialmente criminosas, que nem sequer têm por desculpa a paixão como o rapto, a violência, o ultraje, a prisão, o tormento e o homicídio, pois tudo isto o juiz não o condena e reprova senão em certas circunstâncias e condições. A "má consciência", esta planta muito estranha e interessante da nossa flora terrestre, não cria raízes no nosso solo. Efetivamente, durante muito tempo não se expressava na consciência do juiz e do castigador, como se estivesse tratando com um criminoso.

O malfeitor era para ele o resultado de um prejuízo, um lote irresponsável do destino. E o castigado considerava o castigo também como lote do destino, e não sentia outra "pena interior", como se fosse vítima de uma catástrofe imprevista, de um terrível fenômeno natural, de um penhasco que rola pela vertente e tudo esmaga, contra a qual não há qualquer possibilidade de luta.

XV

Este fato apresentou-se um dia, não sem certo embaraço, à consciência de Spinoza (com grande desgosto dos seus intérpretes, que se esforçaram, como Kuno Fischer, por entender mal esta passagem). Recordando, não sei o quê, pôs-se a reflexionar que é o que nele havia ficado do famoso ***morsus conscientiae***, nele, que havia colocado o bem e o mal entre as fantasias do homem, e que havia defendido até com cólera o seu Deus "livre" contra os blasfemos que pretendiam que Deus não opera se não ***sub ratione boni*** ("o que seria sujeitar Deus no sentido do maior dos absurdos").

O mundo, para Spinoza, voltara ao estado de inocência em que se achava antes da invenção da má consciência. Que seria então do ***mursus conscientiae***? "A antítese do ***gaudium*** – diz finalmente –, uma tristeza acompanhada da imagem de uma coisa que sucedeu inesperadamente" (*Eth.*, III, propos. XVIII, schol. I, II). Durante milhares de anos os malfeitores não tiveram acerca do seu crime outra impressão do que essa impressão pessoal, a que se refere Spinoza: dizem à vista do castigo: "Eis um acidente imprevisto", em vez de "eu não devia ter feito isto". Os malfeitores submetiam-se ao castigo, como a uma doença, a uma desgraça ou a morte, sem repugnância, com aquele fatalismo valoroso no qual os russos nos levam vantagem.

Se algum efeito produzia o castigo, era o aumento da perspicácia, o desenvolvimento da memória, a vontade de operar para diante com mais prudência, com mais precaução, o mistério, e finalmente a confissão de que, em muitas coisas, o homem é fraco, e a reforma do juízo acerca-se de si mesmo.

Em suma, o que logra o castigo no homem e no animal é o aumento do medo, a finura da perspicácia, o domínio dos apetites; neste sentido o castigo **doma** o homem, mas "não o melhora", talvez pelo contrário ("Dos escarmentados sai os avisados", diz o adágio; mas também nascem os maus, e às vezes, por fortuna, os estúpidos).

XVI

Chegado a este ponto, vou dar a minha hipótese acerca da origem da "má consciência", uma expressão provisória, a qual, para ser compreendida, necessita ser meditada e ruminada. A má consciência é para mim o estado mórbido em que devia ter caído o homem quando sofreu a transformação mais radical que nunca houve, a que nele se produziu quando se viu acorrentado à argola da sociedade e da paz. Da mesma forma quando os animais aquáticos foram obrigados a adaptar-se a viver em terra ou perecer, assim aconteceu a esses semianimais, acostumados à vida selvagem, à guerra, às correrias e aventuras, da noite para o dia viram os seus instintos desvalorizados e retirados de suas bases. Foram forçados a andar sob seus pés; "levaram a si mesmos", quando até então os havia levado a água; esmagava-os um peso enorme. Sentiam-se inaptos para as funções mais simples; neste mundo novo e desconhecido não tinham os seus antigos guias, estes instintos reguladores, inconscientemente infalíveis; viam-se reduzidos a pensar, a deduzir, a calcular, a combinar causas e efeitos. Infelizes! Viam-se reduzidos à sua "consciência", ao seu órgão mais fraco e inábil para agarrar!

Creio que nunca houve na terra desgraça tão grande, mal-estar tão horrível! Acrescente-se a isto que os antigos instintos não haviam renunciado de vez as suas exigências. Mas era difícil e amiúde impossível satisfazê-los; era preciso procurar satisfações novas e subterrâneas. Todos os instintos que não descarregam para fora **volvem para dentro**, a isto eu chamo **interiorização do homem**; assim se desenvolve o que mais tarde se há de chamar "alma".

Aquele mundo interior originariamente fino, estendido entre duas peles, desenvolveu-se e ampliou-se à medida que a exteriorização do homem encontrava obstáculos. As formidáveis barreiras que a organização social construía para se defender contra os antigos instintos de liberdade, e, em primeiro lugar, a barreira do castigo, conseguiram que todos os instintos do homem selvagem, livre e vagabundo, se voltassem **contra o homem interior**. A ira, a crueldade, a necessidade de perseguir, tudo isto se dirigia contra o possuidor de tais instintos: eis a origem da "má consciência". O homem que, por falta de resistências e de inimigos exteriores, colhido na regularidade dos costumes, se despedaçava com impaciência, se perseguia, se devorava, se amedrontava e maltrata a si próprio; este animal a quem se quer domesticar, mas que se fere nos ferros da sua jaula; este ser a quem as privações fazem enlanguescer na nostalgia do deserto o que fatalmente devia achar em si mesmo um campo de aventuras, um jardim de suplícios, uma região perigosa e incerta; este louco, este cativo, de aspirações impossíveis, teve de inventar a "má consciência". Então veio ao mundo a maior e mais perigosa de todas as doenças, o homem **doente de si mesmo**; foi consequência de um divórcio violento com o passado animal, de um salto para novas situações, para novas condições de existência, de uma declaração de guerra contra os antigos instintos que antes constituíam a sua força de vontade e o seu temível caráter. Acrescente-se que o fato de entrar uma alma animal dentro de si mesma deu ao mundo um elemento tão novo, tão profundo, tão inaudito, tão enigmático, tão rico, em contradições e em promessas de futuro, que o aspecto do mundo mudou realmente.

E na verdade faltavam espectadores divinos para saborear o drama, que então começou, e cujo fim não pode ainda prever-se, drama demasiado delicado, demasiado maravilhoso e antinômico para que careça de significação no planeta. Desde então o homem veio a ser um dos golpes mais felizes inesperados e excitantes da "criança grande" de Heráclito, que tem por nome Zeus ou Amor, e desperta em seu favor interesse, ansiosa expectação, esperanças e quase certezas, como se anunciasse e se preparasse alguma coisa, como se o homem não fosse um fim, mas apenas um caminho e uma ponte, um incidente, uma translação e uma promessa...

XVII

Como condição desta hipótese acerca da origem da má consciência, é mister admitir que esta modificação orgânica não se processava aos poucos nem voluntariamente, nem uma adaptação orgânica a novas condições, mas um rompimento, um salto, uma obrigação, uma fatalidade contra a qual não era possível lutar nem conservar um ressentimento. Em segundo lugar, que a submissão a uma norma fixa, de uma população que até então carecia de norma e de freio, tendo começado por um ato de violência, só podia ser levada a cabo por outros atos de violência: e que, por conseguinte, o "Estado" primitivo entrou em cena com todo o caráter de uma espantosa tirania, de uma máquina sangrenta e desapiedada, e teve que continuar assim, até que, por fim, uma tal matéria brutal de animalidade foi abrandada e tornada manejável, e finalmente **modelada**. Emprego a palavra "estado", mas é fácil compreender que me refiro a uma horda qualquer de aves de rapina, louros, uma raça de conquistadores e de senhores, que, com a sua organização guerreira, deixariam cair sem escrúpulos as suas formidáveis garras sobre uma população talvez infinitamente superior em número, mas ainda inorgânica e errante. Tal é a origem do "Estado"; creio que já foi bastante refutada aquela opinião romântica que fazia remontar a sua origem a um "contrato". Ao que nasceu para mandar, ao que se sente poderoso em seus gestos e obras, que lhe importam os contratos?

Não se pode contar com tais elementos: chegam com o destino, sem causa, sem razão, sem objetivo, sem pretexto, com a rapidez do raio, por demasiado terríveis, rápidos, diferentes e contundentes para que possam ser objeto de ódio.

A sua obra consiste em criar instintivamente formas e imprimir cunho: são os artistas mais involuntários e mais inconscientes; onde eles aparecem, em pouco tempo há alguma coisa de novo, maquinismo vivo, onde está limitada e ordenada a função de cada parte e tudo acha a sua significação com respeito ao conjunto. Estes grandes organizadores natos não sabem o que seja falta, responsabilidade, respeito; neles reina este egoísmo terrível do artista com olhar metálico que se sente justificado ***a priori*** na sua obra, como a mãe no seu filho, para toda a eternidade.

Neles não germinou a má consciência, mas **com eles** não teria brotado esta planta horrível, não existiria nunca se o choque das suas marteladas e da sua tirania de artistas não tivesse desaparecido do mundo, passando ao estado latente, uma prodigiosa quantidade de liberdade. Este **instinto**

de liberdade, tornado latente pela pressão da força, sujeito, reprimido, e encerrado no interior, obrigado a desenvolver-se dentro de si mesmo, este instinto foi em seus primórdios... a má consciência.

XVIII

Não menosprezemos este fenômeno, embora desde o princípio nos pareça grosseiro e doloroso. No fundo, a mesma força ativa, que vimos operar de maneira grandiosa nestes artistas da violência, nestes organizadores do Estado: só que, a mesma força agora amesquinhada, atuando para o interior de um modo retrógrado, no "labirinto do coração" (para falar como Goethe), para edificar-se um ideal negativo, o ideal que nega o instinto da liberdade ou para falar a minha língua: a vontade de potência, criou a má consciência, só com a diferença que a matéria na qual se expanda essa violência modeladora e subjugadora é o próprio homem, o seu arcaico **eu** animal, e não como nos primeiros e mais visíveis fenômenos, os **outros** homens. Esta secreta violação de si mesmo, esta crueldade de artista, este deleite em modelar-se, em marcar-se com o selo de uma vontade, de uma crítica, de uma contradição, de um desprezo; este trabalho, cheio de alegria horrível, o trabalho de uma alma partida ao meio voluntariamente, que sofre pelo prazer de sofrer; toda esta ativa "má consciência" gerada de acontecimentos espirituais, concluiu por dar à luz uma grande abundância de informações, de novas e estranhas belezas, e talvez a maior beleza... Que haveria de formoso, se a contradição não tivesse logrado a consciência de si mesmo, e a fealdade não tivesse dito: "Sou eu feia?" Ao menos esta indicação tornará menos enigmática a questão de saber até que ponto as noções contraditórias, como o **desinteresse, a abnegação**, e o **sacrifício**, podem encerrar um ideal, uma beleza; e como o deleite, que em todas as épocas experimenta o que pratica a abnegação e o sacrifício, é da mesma essência que a crueldade... Por ora não digo mais, nem acerca da origem do desinteresse e sacrifício, quanto ao valor moral, nem acerca do terreno em que nasceram estes valores: a má consciência, a vontade de alguém se torturar a si mesmo, não a condição primária para fixar o **valor** do inegoístico.

XIX

A má consciência é uma doença, não há dúvida, mas uma doença como a gravidez.

Investiguemos as condições que levaram esta doença ao seu grau de intensidade mais terrível e mais sublime, e assim veremos como fez a sua entrada pela primeira vez no mundo. Mas para isto é preciso um grande fôlego (e dentro em breve teremos de voltar a um dos nossos precedentes pontos de vista). As relações do direito privado entre o devedor e o credor, dos quais já falamos longamente, foram utilizados para a interpretação de outras relações, talvez as mais incompreensíveis para nós os modernos: aludo à referência entre as relações atuais e as precedentes.

No meio da sociedade sexual primitiva (falamos dos tempos primitivos) a geração atual reconhecia-se com obrigação jurídica, com respeito às gerações precedentes, sobretudo com respeito à mais remota, a fundadora da sua raça (não era apenas uma simples obrigação sentimental: podia-se até negar esta última não sem motivo para a duração maior do gênero humano em geral). Reina então a convicção de que não persistiu na sua duração a espécie, senão em virtude dos sacrifícios e dos inventos dos antepassados, e que deve pagar-se esta dívida em sacrifícios e trabalhos; reconhece-se, pois, uma **dívida**, cuja importância vai aumentando toda vez que os antepassados subsistem como espíritos poderosos que não cessam de interessar-se pela sua raça e de lhe concederem novos bens e novos adiantamentos. Será isso gratuito? Mas não existe o gratuito para estas épocas bárbaras e de pouca alma. Com que, pois, há de pagar-se? Com sacrifícios (primeiro na forma de alimentos), com festas, com santuários, com testemunhos de veneração, e sobretudo de obediência, porque todos os costumes são obra dos antepassados, expressão dos seus preceitos e das suas ordens; porventura lhes é dado bastante? Este receio de se lhe não dar o bastante vai aumentando e de tempos em tempos obriga a uma grande indulgência, e às vezes paga-se monstruosamente com o sacrifício do primogênito, sangue humano de qualquer forma. O tempo ao antepassado e ao seu poder, a consciência da dívida, vai aumentando à medida que a raça vai sendo mais vitoriosa, mais independente, mais temida e venerada. Pelo contrário, a decadência da raça, os acidentes desastrosos, os indícios de degeneração, os sintomas precursores da ruína diminuem sempre a veneração e temor que inspira o espírito fundador da raça, porque dão uma ideia cada vez mais elevada da sua inteligência, da sua previsão e da eficácia do seu poder.

Imaginemos agora esta lógica rudimentar levada aos extremos limites; os antepassados das raças mais poderosas hão de chegar, com o engrandecimento do imaginado terror, a tomar formas monstruosas e a perder-se nas longínquas regiões tenebrosas do estranho e do indefinível. O antepassado concluirá por transfigurar-se num **deus**.

Talvez toda a origem dos deuses tenha que ser aqui procurada como produto do medo, e o que se acredita forjar isso, devido à **piedade**, dificilmente poderá sustentar a sua tese com respeito a este período da raça humana, que foi sem dúvida o mais largo, o período pré-histórico. Mas indubitavelmente, no período **intermediário** em que se fundaram as raças aristocráticas, ofereceram estas aos seus antepassados, aos seus autores (deuses e heróis), todas as qualidades próprias, as qualidades **nobres**.

Mais tarde diremos alguma coisa acerca do enobrecimento e exaltação dos deuses (que é preciso não confundir com a sua santificação); agora limitamo-nos a seguir o desenvolvimento desta consciência da culpa.

XX

A consciência de ter uma dívida para com a divindade, é como nos ensina a história, não terminou com o declínio da forma de organização do parentesco consanguíneo da "sociedade". Assim como a humanidade herdou os conceitos "bom" e "mau" da aristocracia (e também a sua propensão psicológica de estabelecer hierarquias), assim o mesmo caminho da herança transmitiu à divindade dos fundadores da raça também aquela da pressão de dívidas ainda não pagas e o desejo de sua absolvição (está marcada a transação por várias camadas das populações escravas e dependentes que se acomodaram ao culto dos deuses dos seus senhores, ora por necessidade, ora por servilismo e imitação).

O sentimento de uma dívida para com a divindade não cessou de crescer durante milhares de anos e, segundo crescia, foi desenvolvendo-se a ideia de Deus na terra como foi elevada para as alturas. (Toda a história das guerras, vitórias, reconciliações, fusões étnicas se reflete no caos das teogonias; nas lendas de suas lutas, vitórias e momentos de paz; o progresso para o império universal é também o progresso para a universalidade do divino e o despotismo aplaina sempre o caminho do monoteísmo.)

O advento do Deus cristão, que é a expressão mais alta do divino, produziu também o máximo do sentimento de culpa. Se supomos que entramos já no **movimento contrário**, será lícito deduzir da decadência da fé no Deus cristão a decadência da "consciência devedora" no homem, decadência hoje muito rápida; e até pode predizer-se que o triunfo completo e definitivo do ateísmo há de libertar a humanidade de todo o sentimento de culpa quanto à sua ***causa prima***. O ateísmo e uma espécie de **segunda inocência** são indivisíveis.

XXI

Isto é tudo o que tinha que dizer provisoriamente acerca das relações das ideias "culpa" e "dever" no seu aspecto religioso; omiti de propósito a moralização destas nações (a sua interiorização na consciência ou, antes, a complicação da má consciência pela ideia de Deus), e ainda há de ter parecido que eu ignorava esta moralização, o que seria por fim a existência destas ideias faltando a sua primeira condição, que é o "credor" Deus. Na realidade não é assim. Com a moralização das ideias **dívida** e **dever** com sua relegação para a má consciência, está propriamente dada a experiência da inversão da direção ao desenvolvimento que acabo de explicar, ou, pelo menos, suspender esse desenvolvimento.

Agora deve desaparecer a perspectiva de uma redenção definitiva, fechar-se de um modo pessimista de uma vez por todas; agora deve o olhar ser refletido sem consolo ante uma impossibilidade férrea, repelir e ser repelido; agora deve voltar-se para trás aquelas ideias "dívida" em primeiro lugar contra o devedor, de quem se apodera, como um pólipo, a má consciência, e em quem a ideia de ser impossível anulação da dívida a expiação deste pecado (inferno); em segundo lugar, contra o "credor", quer seja esta a origem da espécie humana ("Adão", o pecado original, privação ou diminuição do "livre-arbítrio"), quer seja a natureza, de cujo seio sai o homem, e no qual se supõe agora o princípio do mal ("diabolização" da natureza), quer seja, finalmente, a existência em geral, que não vale a pena de ser vivida, a repulsa niilista, desejo do nirvana, onde seu contrário, em ser diferente, budismo, etc. Por fim nos achamos ante o espantoso e paradoxal expediente, que proporcionou à humanidade angustiada um consolo natural, consolo que foi o golpe de gênio do cristianismo; Deus mesmo, oferecendo-se em sacrifício para pagar as dívidas do homem, Deus pagando-se a si mesmo, Deus redimindo o homem do irredimível, o credor oferecendo-se pelo devedor, por amor ao devedor, quem o acreditaria!

XXII

Já devem ter adivinhado o que se passou com tudo isto e sob tudo isto. Esta tendência para se torturar a si mesmo, esta crueldade do animal homem interiorizado, encerrado em sua individualidade encarcerado pelo "Estado" para ser domesticado, inventor da má consciência, como modo de causar o único mal que podia, este homem da má consciência apoderou-se da história religiosa, para levar o seu próprio suplício a um espantoso grau de dureza e de intensidade.

Uma obrigação para com Deus: esta ideia foi porém o instrumento de tortura. Imaginou-se Deus como um contraste dos seus próprios instintos animais e irresistíveis e deste modo transformou estes instintos em culpa para com Deus: hostilidade, rebelião contra o "Senhor", "Pai" e "Princípio do mundo", e colocando-se entre "Deus " e o "diabo" ele repele de si toda negação que ele afirma a si mesmo, à natureza, à naturalidade e à existência do seu ser como uma afirmação, como um "existindo", o vivo, o verdadeiro Deus, Deus santo, Deus justo, Deus castigador, Deus sobrenatural, suplício infinito, inferno, franqueza incomensurável do castigo e da falta. É uma espécie de demência da vontade nesta crueldade psíquica que efetivamente nada tem de igual. A vontade do homem de se achar culpado e réprobo até ao infinito; a vontade de ver-se castigado eternamente, sem que o castigo seja equivalente à culpa. A vontade de infeccionar o funesto, o profundo sentimento de todas as coisas e de fechar a saída deste labirinto de ideias fixas; a vontade de erigir um ideal, o ideal de "Deus santo", para tornar-se-lhe evidente a própria indignidade absoluta... Oh, triste e louca besta humana! A que imaginações ***contra natura***, a que paroxismos de demência, a que bestialidade de ideias se deixa arrastar, quando se lhe impede de ser besta de ação!... Tudo isto é muito interessante, mas quando se olha para o fundo negro deste abismo, sentem-se vertigens de tristeza enervante, e deve-se proibir a si mesmo e olhar demoradamente esse abismo. Há, ainda, não há dúvida de que isto é uma doença, a mais terrível que já existiu entre os homens e aqueles cujos ouvidos sejam capazes de ouvir, nesta negra noite de tortura e de absurdo, o grito de amor, o grito de êxtase e de desejo, o grito de redenção por amor, será presa de horror invencível...

Há tantas coisas no homem que infundem espanto! A terra tem sido há muito tempo um asilo de dementes.

XXIII

Basta já acerca da origem de "Deus santo", mas, por si mesma, a concepção dos deuses não implica necessariamente este envilecimento da fantasia, cuja presença não devíamos omitir por um só instante; ainda há maneiras **mais nobres** para servir-se da invenção dos deuses do que esta autocrucifixão e vilipêndio do homem que tiveram seu predomínio nestes últimos milênios na Europa. Para cada um se convencer disto, basta olhar os deuses da Grécia nesta imagem reflexa de homens nobres e orgulhosos em quem o animal humano se sentia divinizado e não se enfurecia contra si mesmo! Pelo contrário, "estes gregos" serviram-se dos seus deuses para se imunizarem contra todas as veleidades de "má consciência", para gozar pacificamente da sua liberdade, isto é, em sentido oposto ao Deus do cristianismo. E foram longe em tal caminho estas cabeças juvenis de coração de leão, foram talvez demasiado longe, e nenhuma autoridade inferior do que a do Zeus homérico.

– É estranho – diz ele uma vez –, trata-se da casa do Aegisthos, de um caso muito melindroso.

Mas dá a compreender aqui e acolá que eles estão levando isso de "maneira muito fácil".

"É estranho ver como os mortais se queixam dos deuses! De nós vem, dizem eles, todo o mal! Contudo também eles, com as suas loucuras, criam os seus males, e não o Destino."

Adverte-se, porém, que este espectador olímpico nem por isso lhes quer mal ou lhes conserva rancor. "Como são bobos!", assim pensa ele nos atos maus dos mortais, e "loucura", "insensatez", e um pouco de "perturbação cerebral", tanto também admitiam os gregos daquela época mais fortes e mais heroicos, a si mesmos como razão de muita coisa ruim e perigosa:

– Loucura e não pecado! Compreendeis?... E este transtorno cerebral era para eles um problema: "Como era possível? Como é que este transtorno cabe em cabeças como as nossas, em nós, nobres, em nós, felizes, distintos, virtuosos? Esta questão apresentava-a o grego aristocrata em presença de algum crime de sua raça. "Cegou-o um deus?" – dizia finalmente abanando a cabeça.

Este subterfúgio é típico entre os gregos... Eis como então serviam os deuses para desculpar os homens, para tomarem sobre si não só o castigo, mas também (coisa mais nobre) a culpa...

XXIV

Termino estabelecendo três interrogações: Levanta-se ou é demitido aqui um ideal? Perguntar-me-ão talvez. Mas já perguntastes que preço custou sempre neste mundo a edificação de cada ideal?

Quando se caluniou a realidade, quantos mártires se santificaram, quantas consciências se turvaram, quantas vezes foi necessário sacrificar a Deus?

Para edificar um santuário **é preciso destruir outro**. Isto é a lei. Mostre-se-me o caso onde essa lei não foi cumprida... Somos herdeiros de uma vivissecção da consciência, de um mau tratamento brutal, exercido contra nós, por milhares de anos; estamos habituados a isto e nisto fazemos consistir a nossa maestria, a nossa perversão de gosto. O homem olhou com mau-olhado por muito tempo as suas inclinações naturais e identificou-se com a "má consciência". Não é impossível uma tentativa em sentido contrário; mas quem seria bastante forte para a empreender? O caso era identificar com a má consciência todas as inclinações antinaturais, todas as aspirações para o além, para o contrassenso, contra os instintos, à natureza, ao animal, enfim todos ideais anteriores que são todos eles ideais contrários à vida, ideais de negadores do mundo.

Em quem podem hoje fundar-se tais esperanças?... Teria contra si todos os homens de bem e, além disso, os indiferentes, conciliadores, vaidosos, exaltados ou fatigados. O que ofende mais profundamente, que separa tão radicalmente do que deixar notar algo de severidade e altura com a qual se trata a si mesmo?... Atrairia sobre si a inimizade toda a gente, e por outro lado como todos se mostrariam benévolos e amáveis para nós, desde que procedam como todo o mundo procede. Isto é o "deixar correr"...

Seria necessário para tanto um gênero de espíritos diferentes dos atuais, espíritos fortalecidos para a guerra e para a vitória, em que a conquista, as aventuras, o perigo e a dor fossem necessidades; seria necessário o ar vivo e leve das alturas e das neves perpétuas; seria necessária uma malícia sublime e a diabrura do conhecimento mais consciente, a malícia da saúde plena; seria necessária, e é triste dizê-lo, uma grande saúde!...

Mas é hoje isto possível?... Contudo numa época qualquer, em algum tempo mais robusto que o atual, será necessário que venha este homem **redentor** do grande amor e do grande desprezo, este espírito criador cuja força de impulso o **fará** ir cada vez mais longe de todo o sobrenatural, o homem cuja solidão será menosprezada pelos povos como se fosse uma fuga da realidade; este homem há de profundar, há de abismar-se, há de enterrar-se na realidade para ressuscitar um dia e redimi-la da maldição que o ideal do presente fez pesar sobre ele. Este homem do futuro, que nos há de libertar do ideal do presente e da sua natural consequência, o grande tédio, da vontade para o nada, o niilismo; este sol do meio-dia e do grande juízo; este salvador da vontade, que há de restituir ao mundo a sua fidelidade, e a sua esperança; este anticristo e antiniilista, este vencedor do nada, é necessário que venha um dia...

XXV

– Mas, quem me manda falar assim? Basta, basta! Aqui devo guardar silêncio, porque invadiria um terreno que está reservado a outro mais novo do que eu, a outro de mais futuro, a outro mais forte do que eu; refiro-me a Zaratustra, o **semideus**.

Dissertação terceira
O que significam os ideais ascéticos

Despreocupados, mentirosos, violentos, assim nos quer a sabedoria. É mulher e ela só gosta de guerreiros?
Assim falava Zaratustra

I

O que significam os ideais ascéticos? Entre os artistas às vezes não significa nada e às vezes significa múltiplas coisas; entre os filósofos e os sábios **algo**, um instinto favorável para uma grande espiritualidade; entre as mulheres, no melhor dos casos, um encanto a mais, um pouco de morbidez em carne bela, um anjinho lindo e bem-nutrido, entre nós, fisicamente defeituosos e de mau humor (i. é., entre a maioria dos mortais), uma tentativa de se encontrar muito bem neste mundo, uma forma sagrada de libertinagem, uma arma capital contra a dor lenta e o tédio; entre os sacerdotes, a verdadeira fé sacerdotal, o seu melhor instrumento de poder, o seu melhor direito ao poder, entre os santos, um pretexto para o sono hibernal, uma ***novissima gloria cupido***, o repouso no nada (Deus), uma manifestação da demência. Em suma, de toda esta diversidade de finalidades no ideal ascético do homem resulta o caráter essencial da vontade humana, o seu **horror ao vácuo**; necessita de uma finalidade, e prefere o **nada** querer ao **não** querer. Explico-me?... "Parece-me que não!" Comecemos, pois, pelo princípio.

II

Qual é a finalidade de todo o ideal ascético? Ou antes, particularizando-se num caso notável sobre o qual muitas vezes fui consultado: Como deve entender-se que um artista como Richard Wagner haja prestado na sua velhice homenagem à castidade?

É verdade que nunca fez outra coisa; mas, por último, esta homenagem tomou uma tendência ascética. Que significa esta mudança radical de "tendências", essa reviravolta radical do sentido? Porque o fato é que Wagner passou de um salto para a sua antítese.

Que significa passar à sua antítese? Se queremos demorar-nos um momento nesta questão, vem-nos logo à memória a melhor época da vida de Wagner, a época mais forte, alegre e mais audaz; era quando se preocupava profundamente com as **Bodas de Lutero**. Que acaso nos trouxe, em vez desta música marcial, a dos **Mestres Cantores**? E nesta, que ecos daquela? Ao menos é indubitável que nas **Bodas de Lutero** não se trataria de um elogio da castidade, como tampouco de um elogio da sensualidade. Isto que parece justo e "wagneriano". Porque entre a castidade e a sensualidade não há necessariamente oposição; todo o bom matrimônio, toda a boa paixão estão superiores a esta oposição. Wagner teria procedido bem expondo à vista dos alemães esta agradável verdade, com auxílio de uma comédia graciosa e atrevida que tivesse representado a história de Lutero, porque entre os alemães houve sempre caluniadores da sensualidade, e o maior mérito de Lutero é talvez o de ter tido o valor de sua sensualidade (chamada, naquele tempo, de modo bastante sutil, "liberdade evangélica"...).

Contudo, ainda no caso de existir oposição real entre a castidade e a sensualidade, dista muito de ser uma oposição trágica.

Os mortais sãos e equilibrados não admitem este equilíbrio instável entre o "anjo" e a "besta", como princípio contraditório da existência, e os espíritos mais perspicazes, como Hafid e Goethe veem nisto um encanto e um atrativo.

Estas oposições é que tornam a vida amável... Claro que, quando os desafortunados e sujos animais (e há tais sujos animais!) se põem a adorar a castidade, eles verão e adorarão em seu contrário somente o contraste das imoralidades destratadas: oh! com que trágicos grunhidos e ardor adoram este contraste doloroso e supérfluo que Richard Wagner no fim da sua vida fez em música e levou à cena! E **com que fim?**, perguntar-se-á simplesmente. **Que lhe importavam a ele nem a nós os sujos animais?**

III

Contudo não devemos esquecer esta outra questão: Que lhe importava esta figura viril (ou pouco viril) "simplicidade campestre", este pobre diabo, este filho da natureza, chamado Parsifal, a quem acabou por batizar tão insidiosamente? Tomava-o Wagner a sério este Parsifal? Em verdade, quereríamos supor que o **Parsifal** de Wagner teria sido concebido como uma espécie de epílogo festivo ou de drama satírico para despedir-se dignamente da tragédia com esta maliciosa paródia de toda aquela terrível seriedade e miséria terrestres de outrora, e da forma mais grosseira e já vencida da vida antinatural no ideal ascético. Teria sido, repito, uma despedida muito digna de um grande trágico, o qual, como todo o artista, só chega ao auge de sua grandeza quando aprende a contemplar a **seus pés** a sua própria personalidade e a sua própria arte, quando sabe **rir** de si mesmo. O **Parsifal** de Wagner é, porventura, o sorriso de superioridade do que zomba de si mesmo, o triunfo da sua última e suprema liberdade do artista, a vida meio distante do artista? Havia de se desejar isso como alívio; o que seria o Parsifal se fosse concebido seriamente? Será que realmente se necessita nele (como já se esboçou contra a minha pessoa), de ver "o produto fantástico", maldição contra os sentidos e contra o espírito unificador, uma apostasia ao ideal de um cristianismo enfermiço e obscurantista, uma negação de si mesmo, uma destruição de sua própria arte, que tendia para a espiritualização e sensualização suprema", e não só da sua arte, senão também da sua vida?

Porque, recorde-se com que entusiasmo seguia Wagner as pegadas de Feuerbach. A frase de Feuerbach "só sensualidade sadia" ressoou nos anos de 30 e de 40 em toda a Alemanha (e entre os chamados "jovens alemães") como uma frase redentora. Desaprendeu Wagner? Ao menos quis mudar de doutrina... e não só na cena com as trombetas de Parsifal, como também nas turvas elucubrações desorientadas dos seus últimos anos há cem passagens em que se revela um secreto desejo, uma vontade cansada e incerta de pregar um verdadeiro retrocesso, de pregar a conversão, a negação, o cristianismo da Idade Média e de dizer aos seus discípulos: "Tudo isto nada é! Procurai a salvação noutra parte!" Chega até a invocar o "sangue do Redentor..."

IV

Cumpre dizer o meu parecer neste caso. É preciso deparar o artista da sua obra e não tomá-lo tão a sério. Ele não é mais do que a condição primária da sua obra, o seio materno, o humos e às vezes o esterco do terreno em que brota; isto não se deva esquecer nunca quando se quer ter algo de agradável na própria obra: é triste, mas é típico.

O estudo das **origens** de uma obra diz respeito ao fisiólogo, ao vivissetor do espírito; nunca aos homens estéticos, aos artistas! No poeta criador do **Parsifal** havia uma identificação profunda, fundamental, e até horrível e uma penetração para os contrastes d'alma da Idade Média, um longe de tudo o que pareça a altura, a severidade e a disciplina de espírito, uma espécie de perversidade intelectual (quando se quer me perdoar essa palavra), tudo isso ficou tão pouco poupado como os enjoos da mulher prenhe, o que precisamente se deve esquecer para alegria da criança. É preciso guardar-se da confusão em que o artista recai facilmente por **contiguity** psicológica, para falar como os ingleses, como se fosse ele aquilo que representa, imagina e exprime. Na realidade, se o artista assim fosse, não poderia representar-se, imaginar-se e exprimir-se; um Homero não teria criado um Aquiles, um Goethe não teria criado um Fausto, se Homero fosse um Aquiles e se Goethe fosse um Fausto.

O artista perfeito e completo está separado para sempre da realidade; às vezes desespera-se contra a eterna "irrealidade" da sua existência íntima, e se então trata de passar ao mundo que lhe é proibido, ao mundo real, facilmente se adivinha o seu tremendo fracasso. Tal é a veleidade típica do artista, veleidade que também a Wagner reduziu na sua velhice e pelo qual Wagner pagou tão caro e tão desastrosamente (ele perdeu por ela) as suas amizades mais apreciadas. E finalmente, além dessa veleidade, quem não desejaria, pelo próprio interesse de Wagner, que se tivesse despedido de nós e de sua arte, não com um **Parsifal**, mas de um modo mais seguro, mais vitorioso, mais senhor de si, mais wagneriano, menos enganador, menos contraditório, menos sedutor, menos ambíguo quanto ao seu querer, menos schopenhaueriano, menos niilista?

V

Qual é, pois, o objeto de todo o ideal ascético? No artista, já o vimos: **nenhum**!... Ou antes, é tão multíplice que equivale a nenhum!...

Eliminemos, pois, os artistas: a sua independência no mundo não é tamanha que a sua escala de valores e a mutação destes em si mereçam o nosso interesse.

Foram sempre humildes servidores de uma moral, de uma filosofia, ou de uma religião, sem contar que muitas vezes, oh!, foram muitas vezes os cortesãos dóceis dos seus admiradores fiéis ou apreciadores e aduladores de faro requintado dos poderosos antigos e dos que acabam de se instalar.

Pelo menos necessitam sempre de um palco, uma autoridade em que fundar-se; os artistas nunca ficam isolados, a independência é contrária aos seus instintos mais profundos. Assim, por exemplo, Wagner, quando chegou a tempo de procurar seu guia para sua proteção escolheu a Schopenhauer. Quem poderia imaginar que tivesse o valor de escolher um ideal ascético, sem estar protegido pela filosofia de Schopenhauer e sem a autoridade deste, no seu **apogeu** para o ano 70? (sem contar que na **nova Alemanha** era impossível um artista que não estivesse cheio do modo de pensar de piedoso respeito às leis do novo império). Eis-nos aqui na questão mais grave. Como se entende que um verdadeiro filósofo, um espírito de base própria, como Schopenhauer, uma personalidade que sabe andar só, sem chefes, nem rebanhos, um cavalheiro de olhar agudo, renda homenagem ao ideal ascético? Investigamos aqui a posição de Schopenhauer muito fascinado em relação à arte; porque isto é o que evidentemente fez passar Wagner para as filas de Schopenhauer persuadido pelo poeta Herwegin, como se sabe, e com tal convicção, que há oposição completa entre a fé estética da sua primeira época e a que adotou mais tarde aquela, por exemplo, em ***Ópera e drama***, esta nas duas obras posteriores a 1870. E, coisa estranha! Wagner alterou então, sem escrúpulo, a sua opinião acerca do valor e da situação da mesma **música**. Que importava que até então se tivesse servido dela como de um médium, como de uma "mulher", que, para frutificar, necessitava um objeto, um homem, um drama!

Compreendeu de súbito que, com a teoria e inovação de Schopenhauer, podia fazer-se alguma coisa mais ***in majorem musicae gloriam***, quero dizer em favor da soberania da música, tal como a entendia Schopenhauer; a música como arte independente, **não** simples reflexo do mundo fenomênico, à maneira das demais artes, senão linguagem da própria vontade, que fala diretamente do fundo do "abismo", revelação sua, pessoal, fundamental, imediata. Com este aumento extraordinário no apreço da música estava conforme a sua própria estimação do **músico**; o músico havia de ser um oráculo, mais que um sacerdote, um intermediário do "em si" das coisas, um telefone do outro mundo. Desde então já não falou mais em música, entre ventríloquo de Deus: falou em metafísica. Não é de admirar que ele algum dia acabasse por falar em **ideal ascético?**...

VI

Schopenhauer aproveitou-se da concepção kantiana do problema estético, apesar de não o ter olhado certamente com olhos kantianos. Kant julgou honrar a arte, quando, entre os predicados da beleza, fez ressaltar os que constituem a honra do conhecimento: a impersonalidade e a universalidade. Não vou examinar aqui se isto em sua essência foi um erro capital: quero apenas indicar que Kant, como todos os filósofos, em vez de estudar o problema estético baseando-se na experiência do artista, não meditou acerca da arte e da beleza sendo como "espectador" e insensivelmente introduziu o elemento "espectador" no conceito da arte e da "beleza". Se ao menos fossem bons espectadores estes filósofos da beleza!... Haveria então neles um fato **pessoal**, uma **experiência**, um conjunto de emoções, de desejos, de surpresas e de êxtases! Mas parece que foi exatamente o contrário. De modo que nos dão umas definições secas, em que falta por completo a experiência pessoal mais sutil na forma de um grande verme com erro fundamental.

"Belo – diz Kant – é o que agrada desinteressadamente". Desinteressadamente! Compare-se esta definição com esta outra de um verdadeiro espectador e artista, Stendhal, que chama a beleza promessa de Bonheur.

Vemos aqui negado e eliminado o que Kant faz ressaltar mais no estado estético: ***le desintéressement***. Quem tem razão, Kant ou Stendhal?

Se os nossos estéticos inclinam a balança em favor de Kant, afirmando que, pelo encanto da beleza, pode olhar-se "desinteressadamente" uma estátua viva de mulher, hão de nos permitir que nos riamos um pouco à sua custa. As experiências dos artistas neste ponto delicado são certamente mais "interessantes" e certamente Pigmalião não era um homem "inestético".

Pensemos que nossos estéticos são muito ingênuos, no que se reflete em tais argumentos. Kant honra a candidez de um cura rural, do que diz acerca do específico do sentido do tato! Mas voltemos a Schopenhauer, que vivia mais próximo da arte, mas que não pôde libertar-se da influência kantiana. Como explicar isto? A coisa é bem estranha; interpretou a palavra "desinteressadamente" de um modo pessoal, guiado pela sua grande experiência. De muito poucas coisas fala Schopenhauer com tanta segurança como do efeito da contemplação estética: pretende que reacionam precisamente contra o interesse **sexual** pouco mais ou menos como a lupalina e a cânfora.

Nunca deixou de glorificar esta maneira de libertar-se da "vontade", esta grande vantagem e utilidade da condição estética. De tal modo que qualquer pessoa poderia perguntar se o conceito fundamental de "vontade e representação", se a ideia de libertar-se da "vontade", por meio de "representação", não teve origem numa generalização desta experiência sexual.

(Em todas as questões que se referem à filosofia de Schopenhauer deve-se lembrar que a concepção de um jovem de vinte e seis anos é de maneira própria, não somente de Schopenhauer, senão de todo este período juvenil da existência.) Vejamos, por exemplo, uma das passagens entre as inúmeras que ele escreveu em honra da condição estética. (O mundo como vontade e como representação, I, 231.) Escutamos os acentos de dor, de felicidade e de gratidão que respiram estas palavras: "Esta é a **ataxia** que proclamava Epicuro como soberano bem e como estado dos deuses; enquanto dura esta condição, vemo-nos livres da odiosa necessidade de querer, celebramos o ***sabath*** **(trabalho forçado)** da vontade, a roda de **Íxion** para..."

Que veemência nestas palavras, que imagens de sofrimento e de dor; que oposição quase fato lógico entre aquele "momento" e a outrora roda de **Íxion**, "trabalho forjado da vontade", da "odiosa necessidade de querer".

Mas ainda, supondo que Schopenhauer tenha muitíssima razão, que teria ele feito de bom para compreender a essência do belo?

Ainda o efeito do belo que descreve Schopenhauer, o efeito calmante da vontade é porventura normal? Stendhal, natureza não menos sensual, mas mais equilibrada que Schopenhauer, faz ressaltar, segundo vimos, outro efeito do belo: "O belo é uma **promessa** de felicidade". De modo que, para ele, o mais importante da beleza é a **excitação da vontade** ("do interesse"). Finalmente poderíamos objetar a Schopenhauer sem razão se julga neste que fez mal em Kant a respeito do belo no sentido kantiano, ponto kantiano que ele não tenha absolutamente compreendido a definição de que lhe agrade a beleza precisamente por um "interesse" muito pessoal: pelo interesse de se libertar da sua tortura e suplício... voltando agora a nossa primeira pergunta, como se entende que um filósofo renda homenagem ao ideal ascético? Eis-nos aqui chegados a uma primeira solução: quer **ver-se livre de uma tortura**.

VII

Livremo-nos de tomar a palavra "tortura" em sentido lúgubre; precisamente neste caso haveria muito que dizer em contrário e muito que rir. E, sobretudo, não esqueçamos que Schopenhauer, que tratou a sexualidade como inimigo pessoal (e também a mulher, esse ***instrumentum diabolicum***), necessitava de inimigos para estar de bom humor; não esqueçamos que gostava das palavras de cólera, de ódio e de bílis. Zangava-se para tornar-se irado por paixão, que teria caído enfermo, teria sido pessimista (realmente não o era por muito que o desejasse) sem os seus inimigos, sem Hegel, sem a mulher, sem a sensualidade, sem a vontade de viver e de continuar neste mundo. E até se pode assegurar que Schopenhauer teria fugido da vida se o não tivessem detido esses inimigos: a sua cólera foi para ele o mesmo que para os cínicos da Antiguidade, um bálsamo, um descanso, o seu remédio contra o tédio, a sua felicidade. Isto basta para explicar o que há de pessoal no caso de Schopenhauer; mas há nele outra coisa que é típica e que nos conduz à solução do nosso problema.

Desde que há filósofos no mundo, e onde quer que os há (da Índia até à Inglaterra, para compreender os polos opostos das capacidades filosóficas), houve sempre uma verdadeira irritação filosófica e uma harmonia contra a sensualidade.

Schopenhauer é apenas o mais loquaz deles, sua explosão mais calmante, mais sedutora.

Ao mesmo tempo há em todos os filósofos certa benevolência em favor do ideal ascético. Quanto a isso não se deve ter falsas ilusões, uma e outra particularidade pertencem ao tipo; se as duas faltam num filósofo não é bem filósofo.

Que significa isto? É preciso interpretar este estado de coisas. Ele, **em si**, é um fato estúpido; em toda eternidade como cada **coisa em si**; todo o animal e a ***la bête philosophique*** tanto como as outras, tende por instinto a um ótimo de condições favoráveis, nas quais possa desenvolver a sua força e sentir a plenitude do seu poder; todo o animal tem também um horror instintivo a toda espécie de perturbações e obstáculos, que se apresentam ou podem apresentar neste caminho (não falo do caminho para a felicidade, mas para o poder, para a atividade, que quase sempre é para a desgraça). Por isso o filósofo tem horror ao casamento e a tudo o que pudesse conduzi-lo a este estado, porque vê, adivinha no casamento um obstáculo fatal para o **otimismo**. Dentre os grandes filósofos, quem era casado? Nem Heráclito, nem Platão, nem Descartes, nem Spinoza, nem Leibniz, nem Kant, nem Schopenhauer; mais ainda, nem sequer os poderíamos imaginar casados. Um filósofo casado pertence à **comédia**, esta é a minha doutrina; a única exceção é Sócrates, e ainda este... parece-me que se casou por ironia. Todo o filósofo deveria dizer como Buda quando lhe anunciaram o nascimento de um filho: "Rábula nasceu para mim; forjaram-se novas algemas" (Rábula quer dizer aqui um "pequeno demônio). Todo o "espírito livre" deveria ter uma hora de reflexão, supondo que tivesse tido outra irreflexiva; deveria operar como Buda: "É estreita – disse – a vida em casa, nesta mansão de impureza; a liberdade consiste em abandoná-la", e, penetrado desta ideia, abandonou a sua casa. Pois bem, como o ideal ascético abrem-se tantas portas à **independência**, que um filósofo não pode ouvir, sem viva alegria e sem aprovação interior, a história destes homens valentes que recusaram toda espécie de servidão e caminharam para um deserto; mesmo que aceitem que todos eles fossem "burros" fortes, justamente o oposto de uma alma forte. Como, pois, entender o ideal ascético num filósofo? Eis a minha resposta, que já se deve ter adivinhado: o filósofo sorri a este ***optimum*** das condições necessárias à espiritualidade mais elevada, mais sublime e audaz; nem por isso nega a existência, senão que afirma, pelo contrário, a **sua** existência, e **só** a sua existência, até ao ponto de não estar muito longe deste criminoso desejo: ***Pereat mundus, fiat philosophia, fiat philosophus, fiam!***

VIII

Já se vê. Estes filósofos não são juízes imparciais ao examinar o valor do ideal ascético! Eles pensam **em si mesmos**: Que lhes importa a "santidade"? Pensam no que lhes é indispensável: em libertar-se das obrigações, da desordem, do ruído, dos negócios, dos deveres, dos cuidados; em ter lúcido o espírito; em que haja impulso e voo nas suas ideias; em respirar um ar puro, leve, claro, livre, seco, como o das mais altas montanhas, onde cada ser animal torna-se espiritual e obtém asas; querem que reine o silêncio em todas as coisas subterrâneas; que os cães estejam bem presos às suas correntes; que não haja latidos nem emaranhados rancores; que não existam os vermes roedores do orgulho ofendido; querem corações modestos e submissos, obedientes como as rodas de um moinho; mas corações estranhos, longínquos, futuros, póstumos; em resumo: por ideal ascético entendem o ascetismo alegre de um animal que se divinizou, que voou do ninho e que faz pairar o seu voo por cima da vida, em vez de descansar nela. São sabidas as três palavras mágicas do ideal ascético: pobreza, humildade, castidade. Pois bem, que se examine de perto a vida de todos os grandes espíritos fecundos e criadores, e achar-se-ão neles até certo grau estas três palavras. Não certamente, como virtudes – porque a tais espécies de homens pouco lhes importa a virtude –, mas como condições próprias e naturais para o **desenvolvimento** da sua existência e para a sua maior fecundidade. E é muito possível que a sua espiritualidade dominante tivesse que refrear ao irritável orgulho e a petulante sensualidade que por natureza possuíam, ou que lhes custasse trabalho manter a sua vontade do "deserto" contra a sua inclinação para o delicado e raro, e contra uma liberalidade magnífica, que prodigaliza os dons do coração e da mão. Mas aqui precisamente operou a sua espiritualidade como instinto dominante que impõe a sua lei a todos os outros instintos e ainda assim procede, e se não o fizesse não dominaria. Nisso não se trata de "virtudes". Quanto ao mais, o **deserto** para onde se retiram e onde se isolam os espíritos robustos de natureza independente, quanto dista da ideia que dele formam os eruditos!

Talvez sejam eles mesmos esse deserto. De certo se não acomodariam a ele os comediantes do espírito porque não se sentem bem aí, porque não lhes pareceria bastante romântico e decerto teatral. Na verdade também nele não faltam camelos; nisto limita-se toda a semelhança.

Uma obscuridade voluntária; uma fuga de si mesmo: uma profunda aversão ao mundo, a admiração, ao periódico, a influência; um pequeno emprego; alguma coisa cotidiana que oculta, em vez de pôr em evidência; às vezes, o contato com animais domésticos e aves inofensivas nas suas gaiolas, cujo aspecto serve de recreio; uma montanha para a sociedade, não uma montanha morta, como com olhos, isto é, com lagos; às vezes o habitar numa hospedaria cheia de gente, onde nos tocamos e podemos conversar sem peias com todo mundo, isto aqui é "deserto". É bastante solitário, acreditem-se! O "deserto" para onde se retirava Heráclito, os pórticos e peristilos do imenso tempo de Ártemis, confesso-o, era mais digno dele; porque nos hão de faltar a nós tais templos? (talvez nos não faltem de todo; o meu melhor gabinete de estudo é a ***piazza di San Marco***, somente na primavera, das dez às doze).

Mas o que Heráclito queria evitar, também, nós o queremos evitar: o ruído e charlatanismo democrático dos efésios, a sua politicagem, as notícias do "Império" (quero dizer, a Pérsia, já se entende, sua conversa do mercado, de "hoje", porque nós os filósofos necessitamos em primeiro lugar de descanso, principalmente hoje). Nós veneramos tudo o que é tranquilo, frio, nobre, longínquo, passado, tudo aquilo cujo aspecto não obrigue a alma a defender-se e guarnecer-se, tudo aquilo a que se pode falar, sem elevar a voz. Basta ouvir o timbre de uma voz: cada espírito tem o seu timbre. Vede esse que é um agitador, este que é uma cabeça oca: tudo o que ali entra retumba e engrossa dificultados pelo eco do grande vácuo. Vede este outro que fala rouco: Será que enlouqueceu de tanto pensar? É possível – pergunte-se aos filósofos. Mas quem pensa em palavras pensa como orador e não pensador. (Isto nos persuade que ele no fundo não pensa realmente, porém somente em relação às coisas, pensa para os mesmos e seus ouvintes.) Este outro, cuja linguagem é insinuante, que se aproxima de nós, sentimos seu hálito, que não emudece ainda quando fala por meio de um livro; o timbre do seu estilo dá-nos a explicação que procuramos; falta-lhe tempo, não tem fé em si mesmo, e se hoje nos não falasse, não nos falaria nunca.

Mas um espírito que está certo de si mesmo, fala docemente, procura a obscuridade, faz que lhe esperem. O filósofo distingue-se em evitar três coisas brilhantes e ruidosas: a glória, os príncipes e as mulheres, o que não quer dizer que o não repitam a ele. Foge da luz intensa; foge do seu tempo e do seu "dia". É como uma sombra: quanto mais baixa o sol, mais a sombra aumenta. Quanto à sua "humildade", acomoda-se como se acomoda ao escuro, a certa dependência: teme o raio, teme a insegurança de uma árvore muito isolada e exposta, sobre a qual cada tempestade possa descarregar-se e cada expansão descarregue a sua tempestade. O instinto maternal que nele se acolhe aconselha-o a tirar-se de cuidados por meio de uma suave dependência; este mesmo instinto é o que manteve sempre a dependência da mulher.

Pouco é o que exigem esses filósofos e a sua divisa é: "O que possui, é possuído"; e isto, repito, não por virtude, não por frugalidade meritória, senão porque o exige imperiosamente o seu dono soberano; este senhor, que não pensa senão numa coisa, para a qual economiza força, tempo, amor e interesse. Esta espécie de homens não querem ser perturbados, por amizades nem inimizades. Esquecem e desprezam com facilidade; parece-lhes de mau gosto fazer o papel de mártires, "sofrer pela verdade", deixam isso aos ambiciosos e aos heroicos comediantes de espírito. (Eles mesmos, os filósofos, têm algo a fazer em prol da verdade.) São econômicos de palavras retumbantes; até a palavra "verdade" lhes desagrada, lhes parece empolada... Ao que diz respeito à castidade é evidente que a fecundidade dos filósofos manifesta-se de outro modo que pela procriação;

e também de outro modo a continuação do seu nome depois da morte, a pequena imortalidade (na Antiga Índia exprimiam-se os filósofos com mais imodéstia: "Para que quer filhos aquele cuja alma é o mundo?").

Não há aqui castidade, escrúpulo ascético nem ódio aos sentidos, como o não há num atleta ou jóquei, que se abstém das mulheres; é que assim o exige, pelo menos na época da grande incubação, o seu instinto dominante. Todo o artista sabe quão prejudicial é o comércio com a mulher nos dias de grande tensão de espírito e de preocupação intelectual; e para os mais poderosos e instintivos não é necessária a experiência, a dura experiência: o instinto "materno" em benefício da obra futura vem considerar todos os outros excessos ou possíveis de forças, dispondo de tudo.

Deste modo pode já interpretar-se o caso de Schopenhauer; evidentemente, o aspecto da beleza operava nele como estimulante da sua **força principal** (a força de reflexão e de penetração) e esta força se expandia e tornou-se senhora da consciência. Isto não exclui em absoluto a possibilidade de que a doçura estética tenha a sua origem no ingrediente "sensualidade" (donde procede também o idealismo das moças casadoiras). Talvez a sensualidade se não suprime na emoção estética, como pensava Schopenhauer, mas se transfigura de modo que não penetra mais na consciência como excitação sensual.

(Noutra ocasião voltarei a este assunto, ao falar dos problemas ainda mais delicados que entram no domínio da "fisiologia da estética", até agora tão pouco esclarecido.)

IX

Certo ascetismo, certa renúncia radical e serena favorece, segundo vimos, o desenvolvimento de uma espiritualidade superior, e é também uma das consequências mais naturais desta espiritualidade; não é de maravilhar, portanto, que os filósofos olhassem com tão bons olhos para o ideal ascético. E se fizermos um sério exame histórico, veremos que entre o ideal ascético e a filosofia há um laço ainda mais forte. Poderia dizer-se que somente sob o cabresto deste ideal a filosofia aprendeu a dar os primeiros passinhos no mundo – como é desajeitada, que cara enjoada, tão propensa a cair de bruços, tropeçador pequenino e acanhado, mimoso de pernas tortas! Nos seus começos a filosofia foi como todas as coisas; não tinha o valor de si mesma e olhava em volta procurando quem a ajudasse e temia todos aqueles que lhe prestam atenção. Passemos em revista os instintos solitários e as virtudes do filósofo, instinto de dúvida, de negação, de expectação, analítico, aventureiro, investigador, experimentador, comparativo, compensador, sua vontade de imparcialidade, de objetividade, seu desejo de cada ***sine irae et studio***: não se compreendeu, já que por muito tempo foram contrários a todas as exigências da moral e da consciência? (para não falar da razão que Lutero chamava de **mulher sábia** e de meretriz astuta). Não é evidente que todo o filósofo, ao ter consciência de si mesmo, teria necessidade de sentir em si o ***nitimur in vetitum*** e cuidava de sentir-se e aproximar-se de sua própria consciência?...

O mesmo acontece, como já disse, com todas as coisas que nos enchem de orgulho; ainda apreciando-se com as medidas gregas, aparece-nos todo o nosso ser moderno, enquanto não é fraqueza, mas poder e consciência como híbrido e desrespeitoso a Deus; e precisamente as coisas opostas como são aquelas que hoje veneramos tiveram por longo período a consciência de seu lado e Deus por guarda.

Toda a nossa atual posição a respeito da natureza é híbrida.

Híbrida é a violência que fazemos à natureza por meio das nossas máquinas e das invenções dos nossos engenheiros e técnicos; híbrida é a nossa posição para com Deus, para com essa teia de aranha de imperativo e para com a finalidade que se oculta por detrás da grande teia, por detrás da causalidade (poderíamos dizer como Carlos o Temerário em luta com Luís XI: "*je combate l'universelle araignée*"); híbrida é a nossa posição com respeito a nós mesmos, porque em nós fazemos experiências que não nos atreveríamos a fazer em animal algum, e seccionamos a nossa alma com satisfação e curiosidade. Que nos importa a saúde da nossa alma? Logo nos curamos: ser doente é instrutivo, não duvidamos ser mais instrutivo que ser sadio; os **inoculadores** de doenças parecem-nos hoje mais úteis do que os médicos, os "saradores". Fazemos violência a nós mesmos, nós quebradores de nozes da alma, problemas que estabelecemos, como se a vida não consistisse ainda em quebrar nozes. E cada dia seremos necessariamente mais duvidosos e mais dignos de discordar e, portanto, mais dignos de viver?...

Todas as coisas "boas" foram outrora más; todo pecado original veio a ser virtude original. O casamento, por exemplo, foi tido como um atentado contra o direito da comunidade, e pagava-se uma multa por ter tido a imprudência de se apropriar de uma mulher (ainda hoje no Camboja o sacerdote, guarda dos velhos costumes, conserva o privilégio do ***jus primae noctis***). Os sentimentos doces, benévolos, conciliadores, compassivos, que mais tarde vieram a ser os "valores em si", por muito tempo atraiu o desprezo e envergonhava cada qual da brandura, como agora da dureza (*Além do bem e do mal*, p. 240).

- A submissão do direito; oh! Que revolução de consciência em todas as raças aristocráticas quando tiveram de renunciar à vingança para se submeterem ao direito! O "direito" foi por muito tempo um ***vetitum***, uma inovação, um crime; foi instituído com violência e opróbrio. Cada passo que o homem deu sobre a terra custou-lhe muitos suplícios intelectuais e corporais; mártires; por estranho que isto hoje nos pareça, já o demonstrei em *Aurora*, aforismo 18: "Nada custou mais caro do que esta pequena parcela de razão humana e de sentimento de liberdade, do que tanto nos orgulhamos hoje".

No entanto, é este orgulho que nos impede, quase inteiramente, de ter alguma empatia com aquelas vastas extensões da "moralidade dos costumes" que antecedem a "história mundial" como o genuíno e decisivo grande período histórico que determinou o caráter do homem: onde em toda parte o sofrimento era visto com virtude, a crueldade como virtude, a fraude como virtude, a vingança como virtude, a negação da razão como virtude, e inversamente o bem-estar era visto como perigo, a curiosidade como perigo, a paz como perigo, a compaixão como perigo, o compadecer-se era visto como desgraça, o trabalho como desgraça, a loucura era vista como impiedade, a mudança era vista em todo lugar como sendo como tal antiética e prejudicial!

X

Na mesma obra (p. 12) expliquei em meio de quanta pressão de avaliação teve de viver a antiga raça de homens contemplativos, desprezada pelas mesmas razões porque não era temida. A contemplação teve de parecer dissimulada com aspecto equívoco, com mau coração e com medo no rosto.

O que havia de inativo, de sonhador, e de pusilânime nos instintos destes homens, teve que rodeá-los de uma atmosfera de profunda desconfiança, da qual não podiam libertar-se senão inspirando o medo de si mesmo.

Ninguém compreendeu melhor que os velhos brâmanes. Estes antigos filósofos sabiam dar a sua existência, ao seu aspecto exterior, um fundo que os tornava temidos. Se os olharmos de perto, veremos que eles necessitavam de amparo e de medo a respeito de si mesmos; e encontraram vindo contra si mesmos todas as escalas de valor e tinham de derruir nos filósofos toda espécie de suspeita e de resistência. Como homens de épocas terríveis, a crueldade contra si mesmo, a mortificação mais engenhosa, foram os principais meios que empregaram esses ermitãos sedentos do poder, estes inovadores espirituais, quando tiveram que começar por fazer violência no seu íntimo aos deuses e à tradição, para eles mesmos se convencerem de sua própria inovação. Recordarei aqui a célebre história do Rei Viavarmitra, que aprendeu nas suas torturas de mil anos tal confiança de si mesmo, que empreendeu a construção de um **novo céu**: este é o terrível símbolo do destino de todo o filósofo sobre a terra; todo aquele que construiu um "novo céu" achou a força no seu **próprio inferno**... Resumamos os fatos em breves fórmulas: o espírito filosófico teve de começar sempre por mascarar-se com os tipos de homem contemplativo e crisalidar-se como sacerdotes, como adivinhos, como profetas ou em geral como homem religioso. Isto só para ser possível: o ideal ascético serviu durante muito tempo ao filósofo como forma de existência, como predisposição à existência, ele o teve de representar ser filósofo, teve de crer no ideal ascético. Este caráter de filósofo, que o afasta do mundo e o leva a negar o mundo, é a vida, a fé, os sentidos que até épocas modernas foi por eles mantidos e isso como indispensável atitude filosófica em si – ela, antes de tudo, é uma consequência das condições indispensáveis ao nascimento e ao desenvolvimento da filosofia: de modo algum teria sido **possível** na terra sem um invólucro ou fantasia ascética, sem um antiequívoco ascético. E para exprimir-me de um modo mais concreto e evidente: o sacerdote ascético mostrou-se até os tempos mais modernos sob a forma de crisálida mais repugnante e tenebrosa, único modo em que a filosofia tinha permissão de viver e arrastar-se no escuro...

Verificou-se já a modificação? Saiu já aquele animal alado, perigoso e de mil cores e que estava oculto naquela lagarta [...] mais ensolarado, mais quente e mais esclarecido, finalmente rompido um hábito e saído à lua? Há hoje altivez, audácia, bravura, convicção, vontade, responsabilidade e livre-arbítrio suficientes para que **seja possível** o filósofo?

XI

Agora que estamos às voltas com o **sacerdote ascético, é que abordamos a sério o nosso problema. Qual é a finalidade do ideal ascético?**

Agora é que temos ante a vista os verdadeiros **representantes do espírito sério**. Qual é a finalidade de toda espécie de sacerdote?

Esta pergunta é ainda mais fundamental que já nos veio aos lábios, uma pergunta para fisiólogos como é justo, na qual tocamos apenas ligeiramente. O sacerdote tirou do seu ideal ascético não só a sua fé, mas também a sua vontade, o seu poder, o seu interesse.

O seu direito à vida existe e desaparece com este ideal: Não é, pois, de maravilhar que tenhamos de nos haver com um terrível adversário, se fôssemos inimigo daquele ideal? Um tal que luta contra os negadores de ideal... Por outro lado, não é provável desde o início que uma força, de tal maneira interessada em nosso problema, há de ver ideal a ele.
Não é ele o mais apropriado para defender o

seu ideal, pelo mesmo motivo porque a mulher fracassa quando quer defender a própria mulher, muito menos o observador e juiz objetivo da controvérsia. Teremos, pois, que ajudá-lo a defender-se como bem ressalta aos olhos, não temer de ser completamente refutado por ele. O ponto cardeal desta questão é como os sacerdotes ascéticos apreciam a vida (e tudo que a ela se refere, "natureza", "mundo", toda a esfera do ***Werden*** (devir) e da instabilidade) eles põem-na em relação com outra vida diferente; para conseguir esta é mister que aquela se negue a si mesma; no caso de vida ascética vale a vida como uma ponte para aquela outra existência. Para o asceta, esta vida é um labirinto, um caminho errado do qual se deve retornar até novamente ao começo ou então um equívoco que se refuta com as "obras", pois ele exige que se siga com ele e obriga até quanto possível sua apreciação da existência. Que significa isto? Tão monstruosa maneira de apreciar a vida, não é um caso excepcional na história da humanidade; é um fato dos mais gerais e mais persistentes. Lidas de um planeta remoto as letras maiúsculas da nossa existência terrestre, talvez nos levassem à conclusão de que a Terra é o verdadeiro **planeta ascético**, um recanto de criaturas descontentes, arrogantes, repugnantes, enfastiadas de si mesmas, do mundo e da existência, e que fizeram de si mesmas tanto mal quanto possível pelo gosto de fazer o mal a si mesmos, provavelmente seu único prazer. Observe-se que o asceta aparece em todos os tempos, em todos os países, e em todas classes sociais. E não é que transmita por herança o seu caráter, senão que, pelo contrário, um profundo interesse o impede geralmente de se propagar.

Há, pois, alguma necessidade de ordem superior que dá origem a esta espécie inimiga da vida, há na vida mesma algum interesse de não deixar parecer este tipo contraditório. A vida ascética é uma flagrante contradição; nela domina um ressentimento sem par, um instinto não satisfeito, uma vontade de potência, uma ambição que queria apoderar-se da vida mesma, das suas condições mais profundas, mais fortes e mais fundamentais; emprega-se grande força para secar o manancial da força, e até se vê o olhar rancoroso e irônico do asceta voltar-se contra a prosperidade fisiológica, contra a beleza, contra a alegria, enquanto que, pelo contrário, procura com o maior gozo a doença, a porcaria, a dor, o dano voluntário, a negação de si próprio, a mutilação, as mortificações, o sacrifício de si mesmo e tudo quanto é degenerado. Tudo isto é paradoxal em alto grau; achamo-nos em presença de uma dualidade e divisão consciente e querida; a guerra intestina, a dor íntima, **converte-se** em alegria que se torna sempre mais segura e mais triunfante na mesma medida que a sua predisposição e sua capacidade timológica diminui. "O triunfo está na última agonia", o ideal ascético combateu sempre sob esta bandeira; no símbolo da agonia achou a sua luz mais pura, a sua salvação, a sua vitória definitiva. ***Crux, nux, lux*** são para ele a mesma coisa...

XII

Se supomos que esta vontade *contra natura* chega a filosofar, onde exercerá o seu capricho mais sutil? Naquilo que parece mais verdadeiro e certo, procurará o erro onde o espírito da vida procura a verdade, como condição mais necessária.

Por exemplo, como fizeram os ascetas da filosofia vedanta, terá por ilusão a materialidade, a dor e a pluralidade, a totalidade da oposição entre "sujeito e objeto", tudo isto são puros erros! Negar a realidade do **eu**, que triunfo! Não já um triunfo sobre os sentidos, mas muito mais elevado: o triunfo violento e cruel contra a **razão**. E o deleite atinge o máximo quando o autodespeito ascético e o escárnio de si mesmo decreta à razão. "Há um reino da verdade e do ser, mas daí está excluída a razão!..." (seja dito de passagem: no conceito kantiano de "caráter inteligível das coisas" ficaram vestígios desta divisão lasciva e ascética da razão que gosta de volver a razão contra a razão; efetivamente o "caráter inteligível" de Kant corresponde a um conjunto de coisas, das quais o entendimento alcança o bastante para se dar conta de que são **absolutamente ininteligíveis**.)

Contudo, nós, como investigadores do conhecimento, não sejamos ingratos com os que mudaram por completo os pontos de vista do espírito humano; tais inversões resolutas às escalas costumeiras de valor que o espírito demorada, criminosa e inutilmente lutou contra as mesmas, deste modo querer ser diferentemente é uma grande disciplina e preparação do entendimento para a sua futura "objetividade", entendendo por esta palavra não a "contemplação desinteressada", que é um absurdo, mas a faculdade de dominar o pró e o contra, servindo-se de um e de outro para a interpretação dos fenômenos e das paixões para o conhecimento.

Acautelemo-nos, pois, senhores filósofos! Desta confabulação das ideias antigas acerca de um sujeito do conhecimento puro, sem vontade, sem dor, sem tempo, defendamo-nos do polvo das noções contraditórias "razão pura", "espiritualidade absoluta", "conhecimento em si" – aqui seria um **ver** subsistente em si mesmo e sem órgão visual que de modo algum pode ser pensado, um olho sem direção, no qual estão presas as faculdades ativas e interpretativas que devem faltar, faculdades pelas quais o olhar torna-se um olhar. Aqui, pois, exige sempre um contrassenso a não compreensão do órgão visual. Existe somente um olhar respectivo, um conhecer perspectivo; e quanto mais afetos nós deixamos transparecer a respeito de uma coisa, **quanto mais** olhos diferentes sabemos empregar para uma e mesma coisa, tanto mais completa se torna a compreensão desta coisa, a nossa "objetividade".

Mas eliminar totalmente a vontade, suprimir inteiramente as paixões - supondo que isto fosse possível - não seria **castrar** a inteligência.

XIII

Mas voltemos. É claro que tal contradição da "vida contra a vida" como parece apresentar-se no asceta é simplesmente um absurdo, tanto sob o ponto de vista fisiológico como psicológico. Não pode ser mais do que **aparente**: deve ser uma expressão provisória, uma interpretação, uma fórmula, uma adaptação, um equívoco acerca daquilo, seja essência se não compreende que não foi assinalada em si, uma palavra, apenas uma palavra, inserta numa antiga lacuna do conhecimento humano.

Façamos constar os fatos: **o ideal ascético tem a sua origem no instinto profilático de uma vida que degenera**, e que por todos os meios procura a maneira de se conservar: é uma luta pela existência; é o indício de um complexo fisiológico parcial e um esgotamento, contra o qual se nutrem fortes os outros instintos da vida, com artifícios sempre novos. O ideal ascético é um destes artifícios; é, pois, todo o contrário do que os seus adeptos imaginam; nele e por ele, a vida luta com a morte e **contra** a morte, a vida continua o mesmo, na medida em que a história o revela, pudesse dispor do homem e tornar-se poderoso, principalmente em todos aqueles lugares onde fora assegurado a civilização e a domesticação do homem, aí se expressa um fato importante: o **estado mórbido** do tipo homem tal como existiu até agora, ou, pelo menos, do homem domesticado, a luta fisiológica do homem contra a morte (ou, melhor dizendo, contra o tédio da vida com o cansaço, a vontade de um fim).

O sacerdote ascético é a incarnação do desejo do sobrenatural; este desejo é o seu fervor, a sua paixão, a sua força, e esta **força** é que o acorrenta a este mundo, que o obriga a trabalhar procurando condições mais favoráveis para estar aqui e ser homem, esta **força** conserva a vida dos defeituosos, dos mal-aquinhoados, dos desgraçados, dos enfermos, mantém-nos na existência, é o pastor de todo este rebanho. Creio que estou sendo compreendido, este sacerdote ascético, este aparente inimigo da vida, precisamente representa as forças que conservam e garantem a vida... Onde se perdura, pois, tal estado mórbido?

Porque não há dúvida que o homem é o animal mais doente, mais incerto, mais mutável, mais inconsciente; é o **animal** doente por excelência: donde lhe veio isto? Certamente provocou o destino e inovou mais, foi mais teimoso, mais audaz do que todos os outros animais; o grande experimentador de si mesmo insatisfeito, o insaciável, o que luta para reinar sobre os animais, sobre a natureza e sobre os deuses; o indomável, o de futuro eterno, o aguilhoado pela espora que o futuro introduz na carne do presente, o mais valente dos animais, o de sangue mais rico, como não havia de estar exposto a doenças mais largas e mais terríveis?... Bastantes doenças teve o homem: às vezes o tédio de viver foi uma verdadeira epidemia (como em 1348, nos tempos da dança macabra), mas este mesmo tédio, este cansaço rebenta com tal força, que se torna uma nova algema, a mesma força se converte em vida. Esta negação da vida converte-se em afirmações delicadas e quando **se fere** a si mesmo este mestre da destruição e destruidor de si mesmo, é a ferida que o obriga a **viver**...

XIV

Se tão normal é o homem em estado morboso, tanto mais se devem estimar os raros exemplos de potência psíquica e corporal, os acidentes felizes da espécie humana, e tanto mais devem ser preservados do ar infecto os seres robustos. Faz-se assim?... Os doentes são o maior perigo para os sãos; daqueles vêm todos os males. Já se reparou suficientemente nisto?... Decerto, e não deve desejar que diminua a violência entre os homens; porque esta violência obriga os homens a ser fortes, e mantém na sua integridade o tipo do homem robusto. O temível e desastroso não é o grande medo e sim o grande tédio do homem e a sua grande compaixão. Se algum dia estes dois elementos se unirem, darão à luz irremissivelmente a monstruosa "última" vontade, a sua vontade do nada, o niilismo.

E efetivamente tudo está já preparado para este fim. Os que têm olhos, ouvidos, nariz, percebem por todos os lados a atmosfera de um manicômio e de um hospital, refiro-me a todas as partes do mundo civilizado, europeizado.

Os doentes são o maior perigo da humanidade: não os maus, não os "animais de rapina". Os desgraçados, os vencidos, os impotentes, os fracos são os que olham a vida e envenenam e destroem a nossa confiança de um modo mais perigoso. Como escapar a este olhar triste e concentrado dos homens incompletos? Um olhar voltado para trás do aleijado de nascimento? Este olhar é um suspiro que diz: "Ah! Se eu pudesse ser outro! Mas não há esperança: sou o que sou, como poderia libertar-me de mim mesmo?"

Estou cansado de mim mesmo!... Neste terreno pantanoso do desprezo de si mesmo cresce esta erva ruim, esta planta venenosa, pequena, oculta, desonesta e adocicada. Aqui formigam os vermes do ódio e do rancor: o ar está impregnado de mau cheiro dos segredos e coisas inconfessáveis; aqui se atam sem cessar os fios de uma conjuração indigna: a conjuração dos doentes contra os robustos e os triunfantes; aqui se aborrece até o próprio aspecto do triunfador.

Quantas mentiras, quantas mentiras para não confessar este ódio!

Que dispêndio de palavras e de gestos, que arte na calúnia "honesta". Estes fracos, que torrente de nobre eloquência lhes sai dos seus lábios! Que submissão tão doce, tão de mel, tão pastosa nos seus olhos envidraçados!

Por último, que querem? **Representar** a justiça, o amor, a sabedoria, a prudência, a superioridade: tal é a ambição destes seres "inferiores", destes enfermos! E que hábeis os torna esta ambição! Estes moedeiros falsos imitam maravilhosamente o cunho da virtude e até o seu timbre. Estes fracos e doentes incuráveis monopolizam toda a virtude: "Nós somos os únicos bons, os únicos justos", assim eles falam, nós somos os únicos ***homines bonae voluntatis***. Vivem entre nós como queixas vivas, como advertências a nós mesmos, como se a saúde, a robustez, a força, a valentia, a bravura, fossem vícios que devêssemos expiar amargamente. Lá estão eles para no-los fazer expiar, para nos servirem de verdugos! Entre eles há um bom número de vingativos com máscara de juízes, tendo sempre na boca, boca de lábios finos, a baba empeçonhada a quem chamam "justiça" e que estão dispostos a lançar contra todo aquele que, dotado de coração ágil e ligeiro, segue o seu próprio caminho. Nem falta entre eles esta repugnante espécie de vaidosos, abortos embusteiros, que querem representar o papel de "almas belas" e que lançam no mercado, revestido de poesia e outras fraldas, a sua sensualidade deturpada, adornada com o nome de "pureza de coração".

Esta é a espécie dos onanistas morais, que se satisfazem a si mesmos.

O seu desejo enfermiço de representar

a superioridade **sob qualquer forma**, o seu

instinto para descobrir os caminhos subterrâneos que levam a tirania dos homens sãos, não o vemos nós em toda a parte? Em particular, a mulher doente; nenhum ser a sobrepuja em refinamento quando ela quer dominar, imprimir, tiranizar. Para chegar ao seu fim, a mulher doente não perdoa aos vivos nem aos mortos; desenterra o que está mais profundamente enterrado (dizia alguém: "A mulher é uma hiena").

Veja-se o que se passa no recôndito de todas as famílias, de todas as corporações e comunidades; por toda a parte a luta dos doentes contra os sãos; uma luta quase sempre secreta, luta de pós envenenados, de alfinetes, de semblantes astutamente resignados (como aqueles doentes que falam alto), e às vezes revestidos de uma hipócrita "nobre indignação". Até nos sacrossantos domínios da ciência se ouvem estes ladridos destes cães doentes, o raivoso rancor, o espírito de mentira destes nobres fariseus (p. ex., aquele berlinense, apóstolo da vingança, Eugenio Dühring, que tão indecente e asquerosamente abusa do bumbo moral: Dühring, o charlatão-mor da moral que existe agora, incluindo entre os seus amigos os antissemitas. Todos eles são homens do ressentimento, esses desastrados e carcomidos).

Há nestes homens rancorosos, nestes degenerados, uma sede de vingança subterrânea, insaciável, inesgotável contra os bons, engenhosa em máscaras e pretextos. Quando alcançarão o triunfo sublime e definitivo desta vingança? Indubitavelmente quando conseguirem infundir na consciência dos felizes a sua própria miséria; quando conseguirem que estes se envergonhem da sua felicidade e digam uns aos outros: "Que vergonha sermos felizes em presença de tantas misérias!..." Mas quão grande e funesto erro seria o dos felizes e robustos, se algum dia duvidassem do seu **direito à felicidade!**

Para trás esse mundo errado! Para trás esta vergonhosa efeminação do sentimento! Para que os enfermos não contagiem com a sua doença os sãos, esta devia ser o ponto de vista mais sublime na terra, é preciso fazer uma rigorosa separação..., precavidos com os doentes, não se confundirem com eles. Deveriam ser os médicos dos fracos?... Não, porque não saberiam este ofício, porque o elemento superior não deve rebaixar-se até ser instrumento do inferior.

O ***pathos*** da distância deve esperar para sempre os seus encargos. O seu direito de sentir, o direito de prevalecer do risco do bem ante o do mal; a garantia do futuro é mil vezes maior; somente são eles os responsáveis da humanidade. O que eles podem e devem fazer, nunca o deverá nem poderá um doente; mas eles tampouco o poderiam fazer se fossem médicos, consoladores ou "salvadores" de doentes!... Deixai que entre o ar puro! Fugi da proximidade dos manicômios e dos hospitais, da cultura, e para isso boas companhias à nossa companhia, ou então cria a solidão, se for necessário; mas, em todo o caso, evitai os miasmas da podridão interna dos secretamente doentes!...

Deste modo, amigos meus, poder-nos-emos defender, pelo menos por algum tempo, das duas terríveis pestes que nos ameaçam: **o tédio profundo do homem e a profunda compaixão pelo homem**.

XV

Compreenderam profundamente – e eu exijo que aqui se compreenda profundamente de modo profundo, que não podem os sãos cuidar dos doentes e curá-los. Aparece aqui já a necessidade de médicos e enfermeiros doentes, temos e mantemos, com muita aspiração, o sentido do sacerdote ascético. O sacerdote ascético deve ser o salvador predestinado, o pastor e defensor do rebanho doente; tal é a sua missão historicamente prodigiosa. A **dominação sobre os que sofrem** é o seu reino, para tal lhes indica o instinto nele o seu papel, a sua arte, a sua maestria, a sua felicidade. É preciso que ele também seja doente, para que doentes e mal-aquinhoados possam compreendê-los e entendê-los; mas é preciso também que seja forte, pelo menos na vontade de potência, a fim de possuir a confiança dos doentes e ser para eles um amparo, um escudo, um mestre, um tirano, um deus. Tem que defender o seu rebanho – contra quem? Contra os sãos, naturalmente, mas também contra a inveja que inspiram os sãos. Deve ser o inimigo natural de toda a saúde e de toda a potência, de tudo que é rude, selvagem, desenfreado, violento. O sacerdote é a primeira forma do animal mais delicado, mais despeitado que odeia. Aos animais de presa fará ele uma guerra de astúcias (do espírito) mais do que da força bruta como facilmente se compreende e, para este fim, às vezes convir-lhe-á fingir-se também como animal de presa, em cuja ferocidade animal se verão confundidas, em unidade terrível e sedutora, a crueldade do urso branco, a fria paciência do tigre e sobretudo a astúcia da raposa. E, se a necessidade o obrigar, avançará gravemente como urso, respeitável, frio, circunspecto, enganador, arauto e clarim de potências misteriosas, em meio de outras feras de presa, resolvido a semear neste terreno a dor, a divisão, a contradição, para se apoderar logo dos novos súditos. Leva consigo o bálsamo e o remédio; mas necessita ferir antes de curar, e ainda, ao acalmar a dor da ferida, envenenar a chaga.

Sabe muito bem este ofício; tudo quanto lhe fica em volta adoece e se domestica. Quanto ao mais, não defende mal o seu rebanho de doentes esse pastor; defendem-no contra a depravação, a malícia e a rebeldia que se manifesta no rebanho; contra todas as afecções e infecções hospitalares; contra a anarquia e os germens de dissolução, que ameaçam o rebanho, no qual se deposita incessantemente esta perigosa matéria explosiva: o **ressentimento**, que cresce continuamente. O engenho e a utilidade do pastor mostram-se em eliminar esta dinamite, sem que faça explosão em prejuízo do rebanho. Numa palavra: o sacerdote é um homem que **muda a direção do ressentimento**.

Efetivamente, cada um que sofre procura instintivamente a causa da sua dor, e procura uma causa animada, uma causa **responsável**, susceptível de sofrer, um ser vivo contra o qual possa, ao menos **em efígie**, descarregar a sua paixão. Esta vingança é o supremo alívio, o narcótico de todos os que sofrem. A meu ver, a verdadeira causa fisiológica do ressentimento e da vingança é o desejo de **se aturdir contra a dor, por meio da paixão**.

Geralmente procura-se esta causa na reação de defesa, num movimento reflexo aperfeiçoado, como o que faria uma rã sem cabeça para sair de um ácido cáustico. Mas há aqui uma diferença essencial: não é o mesmo querer impedir um dano que querer narcotizar um dano pungente, secreto, intolerável. Para arrancar da consciência a dor, embora momentaneamente, é necessária uma paixão, uma paixão das mais selvagens, e um pretexto para a excitar. "Alguém deve ser a causa do meu mal-estar".

Esta maneira de discorrer é própria de todos os doentes, e tanto mais quanto mais oculta esteja para eles a verdadeira causa do seu mal (será talvez uma lesão do nervo simpático, um excesso de bílis, um sangue escasso de sulfatos ou de fosfatos, uma inchação do baixo-ventre que detém a circulação do sangue, a degeneração dos ovários etc.). Os doentes têm grande engenho para descobrir as causas ou pretextos da sua dor; gozam de suas suspeitas; devaneiam os miolos acerca de injúrias de que julgam ter sido vítimas; examinam as entranhas do seu passado e do seu presente, para achar sombras e mistérios que lhes permitam embriagar-se de dolorosas desconfianças e de sua própria malícia; abrem as suas antigas feridas, perdem sangue pelas cicatrizes, há muito tempo saradas, fazem sofrer os amigos, a mulher, os filhos, todos os seus próximos. "Eu sofro, **alguém** tem a culpa". Assim discorrem todas as ovelhas doentes. E então o pastor – o sacerdote ascético – responde-lhes: "É verdade, minha ovelha; alguém tem a culpa; mas és tu mesma; tu mesma és este alguém, tu mesma és a **causa do teu mal** [...]". Isto é muito atrevido, muito falso, mas obtém um fim: **mudar a direção do ressentimento.**

XVI

Compreende-se que, pelo meu modo de explicar o que experimentou a natureza curadora da vida por meio do sacerdote ascético e dos conceitos paradoxais e paralógicos "falta", "pecado", "perdição", "condenação", tratava-se de tornar **inofensivos** os enfermos, exterminando os incuráveis, dando aos menos enfermos uma severa direção para a sua pessoa, fazendo retroceder o seu ressentimento ("só uma coisa é necessária"), fazendo servir os maus instintos dos doentes à sua própria disciplina, à sua vigilância, à sua vitória sobre si mesmos.

Claro está que não se trata aqui de verdadeira cura. Não é possível que se trate do efetivo saneamento de doentes na compreensão fisiológica; nem se podia ao menos afirmar que o instinto de vida tivesse toda a intenção de curar; uma espécie de concentração e de organização dos doentes (igreja) é a palavra mais popular, uma espécie de assegurar provisório dos que se tornaram mais sadios, dos que foram mais bem fundidos, a abertura de um abismo entre enfermos e sãos; isto foi durante muito tempo tudo, e foi muito!...

Nesta dissertação parte-se de uma hipótese que é inútil demonstrar aos meus leitores, que o estado de pecado no homem não é um fato existente, mas apenas a interpretação de um fato, a saber: de um mal-estar fisiológico, considerado sob o ponto de vista moral e religioso que para nós não tem mais nada de obrigatório.

O **sentir-se** alguém "culpado" e "pecador" não prova que na realidade o seja, como sentir-se alguém bom não prova que na realidade seja bom. Recordem-se os famosos processos da bruxaria: naquela época os juízes mais humanos acreditavam que havia culpabilidade; as bruxas também o **acreditavam**; contudo, a culpabilidade não existia.

Demos a esta hipótese uma forma mais ampla: a "dor psíquica" não é um fato, é apenas uma explicação causal dos fatos, mas incerta e inexequível para a ciência; é uma palavra cheia que ocupa o lugar de um pequeno ponto de interrogação. A causa da dor psíquica não é culpa de sua alma, mas, para falar grosseiramente, o ventre (fato que de modo algum expressa a vontade de ouvir e ser compreendido grosseiramente). Um homem forte digere os atos de sua vida (incluindo os pecados) como digere o almoço. E se alguma coisa lhe é indigesta, é uma indigestão tão fisiológica como a outra, é efetivamente consequência da primeira. Tais ideias, seja dito entre nós, não nos impedem de ser os adversários mais resolutos de todo o materialismo.

XVII

Contudo será realmente **médico** o sacerdote ascético? Já vimos quão pouco direito tem ao título de médico, por muito que lhe agrade considerar-se como salvador e deixar-se venerar como tal. Não combate senão a dor, o mal-estar, e não a causa do doente, não o estado mórbido em si; esta é a nossa maior queixa contra tal medicina sacerdotal. Se nos colocamos no lugar e perto da vista do sacerdote, nunca nos admiraremos bastante do que ele viu, procurou e achou.

O alívio da dor, o "consolo" sob todas as suas formas, isto documenta-se com o seu próprio gênio, de que modo inventivo ele compreendeu sua missão de consolador, de que modo audacioso e escandaloso ele escolheu os meios para essa missão! E particularmente o cristianismo é um grande tesouro de engenhosíssimas fontes de consolação, leva consigo bálsamos que reconfortam, temperam e narcotizam: arrisca os remédios mais perigosos e audaciosos que já foram usados para esse fim, tão sutil, tão refinado, tão latinamente refinado, que foram por ele inventados; com que afetos estimulantes podem vencer a profunda depressão, a pesada fadiga, a negra tristeza do homem doente. E pode dizer-se que, em geral, todas as religiões têm por objeto principal combater uma epidemia de peso e de cansaço. Pode presumir-se que, de quando em quando, deve haver em certos pontos do globo um sentimento de **depressão** fisiológica nas massas, o que, porém, por falta da ciência fisiológica, não entra na consciência como tal, cuja causa se ignora e cujo remédio se procura na psicologia moral (esta é a minha fórmula para tudo quanto se chama **religião**). A sua origem é vária; pode provir de um cruzamento de raças, classes heterogêneas, muito estranhas umas às outras (ou de classes que exprimem sempre também diferenças de descendências de raças: a dor universal europeia). O pessimismo de hoje pode também provir de uma emigração errada – uma raça levada para um clima para o qual sua capacidade de adaptação é ineficiente (o caso dos hindus na Índia); pode ser o efeito da velhice e o esgotamento da raça (pessimismo parisiense desde 1850), ou talvez devido a um erro dietético (o alcoolismo da Idade Média); o absurdo dos vegetarianos (que tem a seu lado a autoridade do *junker* Cristóvão em Shakespeare); ou então o sangue corrompido, malária, sífilis etc. (a depressão alemã depois da Guerra dos Trinta Anos, que invadiu metade da Alemanha com doenças e epidemias perniciosas, que preparou deste modo o solo para a servilidade alemã e para a mesquinhez de ânimos). Em tal caso tende-se a organizar uma **grande batalha contra este sentimento de desprazer**. Vejamos as suas práticas e formas mais importantes. Deixo de lado os filósofos, embora interessante, porque é demasiado absurdo e indiferente, demasiado sutil dado como teia de aranha e espírito de quebra-esquinas, o querer demonstrar que a dor é uma ilusão, partindo de hipóteses de que desaparece enquanto se reconhece como ilusão (mas olhe lá! Ele nem cuida de desaparecer...). Os meios que se empregam contra a dor são os que reduzem a vida à sua menor expressão possível: nada de vontade, nada de desejo, nada de paixão, nada de "sangue"; não comer sal (higiene dos faquires); não amar; não odiar, não se perturbar; não se vingar; não se enriquecer; não trabalhar; mendigar; nada de mulheres, ou o menos possível; no intelectual o princípio de Pascal, ***il faut s'abêtir***. Resultando em linguagem moral, aniquilamento do **eu**, santificação; e em linguagem fisiológica: hipnotização, dormida de inverno, o alcançar algo para o homem, o sono hibernal para algumas espécies da fauna, assim como o sono estival por muitas espécies da flora dos climas quentes, mínimo de assimilação compatível com a vida sem entrar na consciência. Para chegar a este fim gastou-se uma soma imensa de energia humana, talvez em vão!... É indubitável que tais ***sportsmen*** da "santidade", tão frequentes em todos os povos e em todas as épocas, hão de chegar a libertar-se daquilo que combatiam e a vencer a sua profunda depressão fisiológica auxiliada por seu sistema e meios hipnóticos; assim, pois, o seu método é um fato geralmente etnológico, universal. Contudo, também é certo que já de *per si* é um sintoma de loucura o tratar de render pela fome a carne e o desejo (como o *junker* Cristóvão e outros "livres-pensadores" capazes de comer um rosbife). E também é certo que este método aplaina o caminho a toda a espécie de perturbações intelectuais, às "luzes interiores" (os hesicastas do Monte Atos), as alucinações de formas e de sonoridade, aos transportes voluptuosos e êxtases da sensualidade (Santa Teresa). A explicação que destes estados deram as suas vítimas foi sempre muito exaltada e falsa; isto se compreende por si; mas não se deve deixar de ouvir o fim da gratidão mais convencida que já vem a soar na vontade de tal espécie de sublimação. O estado superior, a própria bem-aventurança, toda esta hipnotização de tranquilidade, eis aqui a seus olhos o mistério por excelência que nenhum símbolo, por sublime que seja, pode exprimir; é o regresso bendito à essência das coisas, é a redenção de todo o erro, é a "ciência", a "verdade", o "ser"; a redenção de todo o fim, de todo o desejo, de toda a atividade; um estado mais além do bem o do mal. "Tanto o bem como o mal - diz o budista - são algemas. O homem perfeito domina um e outro..." "A ação e a omissão - dizem os vedas - não causam ao sábio dor alguma; o sábio sacode para longe de si o bem e o mal; nada perturba o seu reino; foi além do bem e do mal". Eis, pois, uma concepção eternamente hindu, bramânica e búdica.

O pensamento hindu, como o pensamento cristão, calculam que a redenção suprema não se deve tanto à moralidade da virtude como ao seu valor hipnótico. É um ponto de realismo nestas três religiões principais, tão carentes de moral. "Para o homem que possui o conhecimento, não existe já o dever..." Não se alcança a salvação adquirindo virtudes; porque a salvação consiste em identificar-se com o Brahma, o qual não é perfectível. Nem consiste tampouco em afastar os vícios, porque o Brahma, além de ser um só no que diz à redenção, é eternamente puro" - passagens do comentário do **Sankara**, citado pelo meu amigo Paulo Deussen, o melhor conhecedor da filosofia hindu na Europa. Honremos, pois, a "salvação" que nos apresentam as três grandes religiões, mas não adotemos o **profundo sono** que nos deixaram estes homens fatigados, fatigados até para sonhar o profundo sono da fusão com o Brahma, da ***unio mistica*** com Deus.

"Quando está completamente a dormir e em repouso, assim se diz naquela escritura, mais antiga e veneranda, e quando tenha chegado ao completo repouso, de tal modo que até as quimeras do sonho se dispersaram, então, é, amigo! Está unido com o 'sendo' e voltou à sua forma primitiva: recoberto pelo eu cognoscente, não tem consciência do que há nele ou fora dele.

Esta ponte não é franqueada nem para o dia nem para a noite, nem para a velhice, nem para a dor, nem para a obra boa ou má [...]"

"No estado do sono profundo, dizem os crentes dessas três religiões mais profundas, a alma eleva-se fora deste corpo, entra na mais alta região da luz, e assim se apresenta na sua verdadeira forma; então é a incarnação do espírito altíssimo, do espírito vagando e folgazão que se regozija com as mulheres, com os carros e com os amigos; então a alma já não pensa nos miseráveis laços do corpo, ao qual está jungido o ***prana***, o sopro vital, como o animal ao carro." Contudo, não percamos de vista que, abstraindo da faustosa exageração oriental, achamos uma doutrina semelhante em Epicuro, neste espírito claro e equilibrado, como todo o grego, mas enfermo: a insensibilidade hipnótica, o sossego do profundo sono, a **anestesia**, é para os doentes o bem supremo, o valor por excelência, o mais positivo. (Segundo a mesma lógica do sentimento, em todas as religiões pessimistas o nada chama-se Deus.)

XVIII

Com mais frequência, em vez desta obsessão hipnótica da sensibilidade que supõe forças nada comuns, valoroso desprezo da opinião e "estoicismo intelectual", emprega-se contra os estados anímicos de expressão outro método, mais fácil: a atividade. Que a atividade alivia sobremaneira uma existência de dor, não é caso para duvidar; é o que hoje se chama hipocritamente "a bênção do trabalho". Verifica-se o alívio, apartando-se da dor o interesse do paciente e ocupando a atividade toda a consciência: hoje quão estreita é a consciência humana! A atividade maquinal e tudo quanto a ela se refere, a regularidade absoluta, a obediência pontual e inconsciente, o costume adquirido, o emprego completo do tempo, certa disciplina de impessoalidade, de esquecimento de si mesmo, de ***incuria sui***: quão radicalmente e com quanta delicadeza soube o sacerdote ascético empregar tudo isto na luta contra a dor! Quando se tratava das classes inferiores, de operários, de escravos, de prisioneiros (ou antes de mulheres, que são simultaneamente operárias, escravas e prisioneiras), não se necessitava senão de certa habilidade na mudança de nomes, um novo batismo para que as coisas detestadas aparecessem como benefícios, como felicidade relativa: o descontentamento dos escravos com a sua sorte **não** foi inventado decerto pelos sacerdotes.

Outro remédio estimado que costumava acompanhar o anterior era certa dose de alegria facilmente acessível e regular (como os benefícios, as esmolas, os consolos, o auxílio, o louvor, a distinção e todos os atos que produzem alegria). O sacerdote ascético, ao prescrever o "amor do próximo", prescreve o mais forte estimulante dos instintos, ainda que em dose mínima: **a vontade de potência**. A felicidade da "menor superioridade", implícita nestes atos, é o mais poderoso meio de consolo para os seres fisiologicamente defeituosos, se são bem aconselhados; em caso contrário, prejudicam-se uns aos outros, obedecendo todos ao mesmo instinto fundamental. Remontando-se às origens do cristianismo no mundo romano, achamos sociedades de socorros mútuos, associações para socorrer os pobres, para cuidar dos doentes, e para enterrar os mortos; associações que se desenvolveram nas mais baixas camadas sociais, onde se cultivara este remédio contra a depressão de ânimo, esta pequena alegria de beneficência mútua: Foi talvez então uma coisa nova? Por esta "vontade de mutualidade", por esta formação de rebanhos, de "comunidades", de "cenáculos", embora em menor força deve-se considerar uma vontade de potência; a formação de rebanhos é, na luta com a depressão, um importante progresso, uma vitória. O crescimento da comunidade frutifica no indivíduo um interesse novo que o aparta de seu desgosto pessoal, da sua aversão à sua própria pessoa (***despectio sui*** de Geulinx). Todos os doentes e mórbidos aspiram instintivamente de dentro de uma vontade de livrar-se daquela má vontade atordoante e o sentimento de fraqueza, a organizar-se em rebanho; o sacerdote ascético adivinha este instinto e alenta-o; onde há rebanho é o instinto de fraqueza que o guia e a habilidade do sacerdote que o organiza.

Não nos enganemos: os fortes aspiram distanciar-se uns dos outros e os fracos a unir-se; se os primeiros se reúnem, é para uma ação agressiva comum, uma satisfação em comum de sua vontade de potência, o que repugna muito à consciência de cada qual; pelo contrário os últimos unem-se pelo **prazer** que acham em unir-se; porque isto satisfaz o seu instinto, assim como irrita o instinto dos senhores natos, devido a sua organização. Chama-se homem a essa espécie solitária de animais de rapina. Toda a oligarquia envolve o desejo da tirania, assim o ensina a história; treme continuamente por causa do esforço que cada um dos indivíduos tem que fazer para dominar este desejo.

(P. ex., na Grécia: Platão atesta-o em centenas de lugares, e Platão conhecia bem os de sua grei e conhecia-se a si mesmo...)

XIX

Os meios, que, segundo vimos, puseram em prática os sacerdotes ascéticos; a depressão dos sentimentos vitais; a atividade mecânica; a pequena alegria, sobretudo a alegria do amor ao próximo; a organização em rebanho; o sentimento do poder na comunidade, o tédio individual, substituído pela satisfação de ver próspera a comunidade, estes são os modernos meios inocentes empregados na luta contra a dor. Estudemos agora os meios mais interessantes, os meios "criminosos". Reduzem-se todos a provocar uma **exaltação de sentimentos**, este é usado contra a dolorosidade paralisante como meio narcotizante mais eficiente; a inventiva do sacerdote mostrou-se inesgotável no exame desta questão única: "Como provocar uma exaltação do sentimento?"

Isto é duro de entender e soaria melhor se eu dissesse: "Soube em todos os tempos o sacerdote ascético utilizar entusiasmo que vibra em todas as grandes paixões?"

Mas para que adular os ouvidos ternos e efeminados? Para que adotar a hipocrisia da sua linguagem? Para nós, psicólogos, seria já uma hipocrisia nos fatos, além do asco que poderia causar-nos. O psicólogo dos nossos dias demonstra o seu bom gosto repelindo a linguagem vergonhosamente moralista e viscosa, que impregna todos os juízos modernos acerca de homens e coisas.

Porque, não há dúvidas, a característica das almas modernas e dos livros modernos não é a mentira, mas a inocência incarnada no moralismo mentiroso.

Pôr a descoberto esta "inocência" é talvez a parte menos grata do nosso trabalho, a parte do psicólogo, o nosso perigo, um caminho que nos leva ao tédio...

Não duvido para que possam servir os livros modernos, admitindo que tenham duração, o que porém não devemos temer, admitindo também que possa haver uma posteridade com gosto mais severo, mais **sadio** e para que todo o moderno pudesse servir a esta posteridade, isto é como um vomitório, por causa do seu moralismo adocicado e falso, por causa do seu caráter feminino, que se chama e se julga "idealismo" e que se acredita idealismo. Os nossos civilizados de hoje em dia, os nossos "bons" não mentem; mas isso **nada** os honra. A verdadeira mentira, a mentira autêntica, resoluta, "leal" (de cujo valor se pode ouvir Platão), é para eles demasiado forte; exigiria deles que aprendessem a distinguir o verdadeiro do falso. Só lhes convém a mentira desleal; o que hoje todo o que a si mesmo se sente como homem bom é incapaz de discorrer sem mentir desonesta e profundamente, sem mentir acerca de uma coisa, embora inocentemente mentiroso; com coração e olhos azuis de virtude, mentirosos. Estes homens bons são fundamental e erradamente morais, mas desleais, infames e perversos para toda a eternidade. Nenhum deles suportaria uma verdade sobre o homem, quem deles suportaria uma verdadeira biografia. Cito exemplos: Lorde Byron deixou algumas notas íntimas acerca da sua pessoa; mas Tomás Moro era demasiado bom para esse fim, queimou os papéis do seu amigo.

O mesmo parece que fez o Doutor Gwinner, testamenteiro de Schopenhauer; porque também este deixou **acerca de si** ("εἰς ἑαυτὸν) ou contra si algumas notas. O excelente americano Thayer, biógrafo de Beethoven, deteve-se bruscamente no seu trabalho. A moral de tudo isto é: nenhum homem inteligente hoje escreve acerca de si uma frase sincera, a não ser que pertencesse à ordem de Santa Audácia...

Prometam-no uma autobiografia de Richard Wagner: Quem porá em dúvida a afabilidade do autor?... Recorde-se o espanto cômico que excitou na Alemanha o sacerdote católico Jannsen pela sua cândida e quadrada pintura da Reforma: Que seria se alguém expusesse este movimento noutra forma? Que seria se um verdadeiro psicólogo nos mostrasse um verdadeiro Lutero, não já com a candidez de um cura de aldeia; nem com o pudor adocicado e os pontos de vista dos historiadores protestantes, mas com a força e o rigor inflexível de um Taine?...

(Os alemães dessa espécie têm já um tipo de indulgência histórica de suficiente beleza que podem pôr a seu crédito: Leopoldo von Rank o ***advocatus*** de toda causa ***a fortiori***, o mais sábio de todos os "realistas".)

XX

Mas já devem ter-me compreendido: razão suficiente, na verdade em suma que nós psicólogos, hoje, não temos de, em alguma coisa, **desconfiar de nós mesmos?**... Somos demasiado "bons" para o nosso ofício; somos também vítimas do gosto moralesco que hoje está em moda, e por muito que o desprezemos é provável que se haja em nós infeccionado. Contra quem queria pôr-se em guarda aquele diplomata que dizia aos de sua grei: "Sobretudo, senhores, desconfiemos dos nossos primeiros movimentos, **por que serão quase sempre bons?**... Esta devia ser a linguagem de todos os psicólogos. E isto leva-nos ao nosso problema, que reclama, efetivamente, certa desconfiança acerca dos primeiros movimentos: **o ideal ascético ao serviço de uma finalidade, a exaltação dos sentimentos**. Quem tenha presente a anterior dissertação, adivinhará já o conteúdo dessas doze palavras que vamos demonstrar agora em sua essência. Tirar a alma dos seus gonzos, submergi-la no terror, no gelo, no ardor e no êxtase até tal ponto que esqueça, como por um golpe de varinha mágica, todas as pequenas misérias da sua doença e do seu tédio. Como chegar a este alvo? Qual é o caminho mais seguro?...

No fundo, todas as grandes paixões são boas quando se descarreguem de repente: a cólera, o prazer, o temor, o ódio, a esperança, o triunfo, a desesperação ou a crueldade. O sacerdote ascético tomou inescrupulosamente ao seu serviço toda a matilha de cães selvagens que ladram no homem e lançou ora um, ora outro, para despertar o homem da sua larga tristeza, para o libertar da sua dor surda e sempre guiado por uma interpretação e "justificação religiosa". Todo o desbordamento deste gênero se paga, como é natural – os doentes ficam mais doentes. Por isso, esta maneira de remediar a dor é para nós "criminosa"; contudo, é mister confessar que este remédio foi aplicado com boa intenção, que o sacerdote ascético cria na sua eficácia e necessidade; e que muitas vezes esteve ele em risco de perecer ante o espetáculo da dor que causava; observemos também que as terríveis desforras fisiológicas de tais excessos, e talvez as perturbações intelectuais que daí se seguem, não estão em contradição absoluta com o espírito geral deste gênero de medicina; porque, segundo vimos, não se tratava de curar as doenças, mas de combater a dor e a depressão por meio de xaropes e de narcóticos. E isto se conseguiu.

A obra-prima do sacerdote ascético para produzir na alma humana esta música extática foi a perfeição do sentimento de **culpabilidade**.

A origem deste sentimento já está indicada na precedente dissertação, questão de psicologia animal e nada mais. Mas este sentimento brutalista da falta, em mãos do artista sacerdotal, começou a tomar forma. E que forma? O "pecado", porque tal é o nome dado pelo sacerdote à "má consciência" animal (a crueldade interiorizada); o pecado é o acontecimento capital na história da alma doente, é o artifício mais nefasto da interpretação religiosa.

O homem doente de si mesmo, psicologicamente, como um animal na jaula, perturbado, indeciso, ignorante de razões e de causas, procurando estas para seu consolo, e procurando também remédios e narcóticos, acabou por entender-se com alguém que soubesse destas coisas, e o seu adivinho, o sacerdote ascético, deu-lhe a primeira indicação acerca da "causa" do seu mal; fê-la procurar em si mesmo, em alguma falta cometida no tempo passado; fez-lhe interpretar a sua dor como um **castigo**... Agora compreende o desgraçado; agora está metido num laço como o peru, já não sabe sair desse conjunto de traços, de doente converte-se em "pecador"... e agora não se liberta mais desse aspecto. Desde então houve uma nova doença no mundo: o "pecado". Curar-se-ia algum dia? Para onde quer que se olhe, vê-se por todos os lados o olhar hipnotizado do pecador, sempre fixo na mesma direção, na direção da culpa; por todos os lados a "má consciência", *dies* "***grewliche Thier***" para empregar a frase de Lutero; por todos os lados o passado presente, o fato desnaturado, a ação vista com maus olhos, por toda a parte o desconhecimento voluntário da dor, a dor transformada em culpas, em medo, em castigo; por toda a parte o refém, a disciplina, a abstinência, a contrição; por toda a parte o pecador que se tortura a si mesmo na roda cruel de uma consciência, inquieta e voluptuosamente enferma; por toda a parte a pena muda, o medo terrível, a agonia de um coração martirizado, os espasmos de uma felicidade desconhecida, o grito desesperado da "salvação". E verdadeiramente, graças a esta maneira de operar, a antiga depressão, a pesada fadiga, acabaram por **ser vencidas**; a vida conseguiu ser interessante; o "pecado" estava sempre desperto, ardente, esgotado, não fatigado, porém. Assim nos parecia o homem, o pecador, conhecedor desses mistérios.

Havia conseguido a vitória o sacerdote ascético, esse velho magrelo, havia vindo o seu reino; já se não queixava ninguém da dor, mas que tinham medo de dor.

"Sofrer! Sempre sofrer! Sofrer mais!" Tal foi o grito dos seus discípulos durante séculos.

Toda a exaltação dolorosa do sentimento; tudo o que quebranta, derruba e arrebata em êxtase; o segredo da tortura, as penas do inferno, tudo isto estava descoberto, adivinhado, utilizado pelo sacerdote para o triunfo do seu ideal... "O meu reino não é **deste** mundo", repetia; mas tinha direito a falar assim?... Diz Goethe que existem trinta e seis situações trágicas, bem se vê que Goethe não era um sacerdote ascético. Este conhecia muito mais...

XXI

Acerca de toda esta espécie de medicina sacerdotal a espécie **culpada**, é excessivo todo comentário. Quem ousaria pretender que tamanha exaltação do sentimento como neste caso o sacerdote ascético costuma prescrever aos seus doentes, ainda revestido dos nomes mais santos, como já se pode compreender da mesma forma perpetrado com a santidade do seu fim, que essa tenha algum enfermo útil, quem teria virtude de manter em pé uma tal afirmação.

Antes de tudo seria preciso entrar num entendimento quanto ao sentido da palavra "útil".

Quer dizer-se que tal terapêutica fez o homem **melhor**?

Não direi eu o contrário; mas acrescentarei que, para mim, "melhorar" significa "domesticar", "debilitar", "desalentar", "refinar", "abrandar", "efeminar", quer dizer tanto quanto **degradar**... Tratando-se principalmente de doentes, o sistema tem de tornar o doente, sob todas as condições, mais **doente**, embora torne "melhor". Consultem-se os médicos alienistas acerca dos resultados de uma aplicação metódica das torturas penitenciárias, de contrição e dos êxtases místicos.

Consulte-se também a história: onde quer que se tenha aplicado este tratamento, a doença desenvolveu-se com intensidade e presteza. Qual foi sempre o seu resultado? A perturbação do sistema nervoso nos indivíduos e nas massas, como consequência do *training* da contrição e da redenção, epidemias de epilepsia violentíssima, as maiores que a história teve, como a dança de São Vito e de São João, da Idade Média; manifestações secundárias, como paralisia e depressões nervosas que mudam por completo a índole de um povo ou de uma cidade (Gênova, Basileia); bruxarias histéricas e sonâmbulas (oito grandes epidemias entre os anos de 1564 e 1605); o delírio coletivo dos devotos da morte, cujo grito "*eviva la morte!*" ressoou em toda a Europa, interrompido às vezes pelas idiossincrasias de volúpia, às vezes dos que desejavam a destruição; assim em todos os países em que foi acolhida favoravelmente a doutrina ascética, ver-se-ão as mesmas alternativas de paixões com as mesmas intermitências. (A nevrose religiosa aparece em todos os sintomas de "neurastenia". Será isto mesmo? ***Quaeritur.***)

Em resumo, o ideal ascético e o seu culto da sublime moral, esta sistematização engenhosa e ousada de tudo o que tende à exaltação do sentimento, exercida, sob a máscara de um fim sagrado, está escrita com caracteres terríveis em toda a história da humanidade. E não **só** na sua história!... Não conheço nenhum ideal que mais haja minado a saúde e o vigor das raças, sobretudo das raças europeias; sem exagero pode chamar-se o açoite por excelência na história sanitária do homem europeu.

Quanto ao mais, poderia comparar-se a sua influência com uma influência germânica; refiro-me ao envenenamento da Europa pelo álcool, que sempre correu ao lado da preponderância política e étnica dos germanos (onde inocularam o seu sangue, inocularam o seu vício). E em terceiro lugar desta série havia que pôr a sífilis, ***magno sed proxima intervallo.***

XXII

O sacerdote ascético corrompeu a saúde da alma, onde quer que tenha exercido o seu domínio; por conseguinte, corrompeu também o gosto, ***in artibus et litteris***, e corrompe-o ainda. Creio que não há necessidade de provar esta consequência. Só direi uma palavra acerca do livro capital da literatura cristã, o seu próprio modelo, seu "por excelência".

No meio do esplendor greco-romano, que era esplendor literário; no meio do mundo das antigas letras, sem luares nem lagos; quando se podiam ler alguns livros que equivaleriam hoje à metade da literatura, a candidez vaidosa de alguns agitadores cristãos, chamados hoje Padres da Igreja, ousou decretar: "Também nós temos literatura clássica; não necessitamos da grega". E mostravam orgulhosamente livros de lendas, epístolas apostólicas e tratadinhos apologéticos da mesma forma que, hoje, o "exército de salvação" combate contra Shakespeare e outros "pagãos". A mim não me agrada o Novo Testamento; quase me espanta ver-me sozinho neste juízo contra essa obra estimada demais (que tem contra si dois mil anos), mas que lhe havemos de fazer? Eis-me aqui; não posso fazer doutra maneira" (Lutero disse, na Dieta de Worms); ao menos tenho o valor da minha má consciência.

O Antigo Testamento já é outra coisa. Ali encontro homens grandes, paisagens heroicas, e sobretudo a inestimável candidez de um **coração forte**; mais ainda, ali encontro um povo. No Novo, pelo contrário, reina o turvo depósito de algumas seitas, rococó da alma, enfeites, torneados angulosos e audazes, coisas de causar admiração, atmosfera de conventículos e não devendo esquecer certo ar de doçura católica, que pertence à época e à província romana, que não é nem judaica nem helenística. Ali se dão as mãos a humildade e a presunção; ensurdece a sua loquacidade de sentimentos; há mais patético do que paixão; ah!, sobretudo aqui faltam toda a boa educação, uma mímica deplorável. Para que espraiava tanto as suas próprias imperfeições esta gente? Ninguém se ocupa disso e Deus menos ainda. Mas eles pretendem com o seu provincianismo alcançar "a coroa da vida eterna". Impossível levar adiante uma tal falta de modéstia. Com que fim? Pedro imortal!

Quem **o** suportaria? Tem um orgulho que faz rir, e não cessam de mastigar seus assuntos pessoais, suas necedades, suas tristezas, seus cuidados mesquinhos, como se a essência das coisas fosse obrigada a preocupar-se com eles. E aquela perpétua confiança nas suas relações com Deus! Este contínuo tatear com Deus de péssimo gosto, com familiaridade judaica e não somente judaica para com Deus. Há povos heroicos, pequenos e despertados na Ásia Oriental, com os quais os cristãos muito teriam que apreender, algo desse sentimento de respeito e não chegam à liberdade de pronunciar o nome de seu Deus!

Isto parece-me uma delicadeza encantadora; mas era demasiado delicado para os primeiros cristãos e também para os modernos. Lembre-se o exemplo de Lutero, o aldeão mais eloquente e imodesto que a Alemanha conheceu, era extremamente grosseiro nas suas relações com Deus. A guerra que Lutero empreendeu contra os santos, medianeiros da Igreja (e particularmente contra o papa, "a **porca do diabo**"), não era, em suma, senão a rebelião de um mal-educado a quem desagradavam as **boas formas** da Igreja, as etiquetas cerimoniosas do gosto hierático, que não permitem a entrada no santuário senão aos consagrados e silenciosos, fechando a porta aos grosseiros. Lutero camponês entendia-o de outro modo; para ele isso era muito pouco **alemão**, queria falar diretamente com o seu Deus... ele mesmo falar, sem-cerimônia, e ele mesmo o fez.

O ideal ascético nunca foi, pois, uma escola de bom gosto nem de boas formas, até ao extremo das formas hieráticas; é porque encerra em si alguma coisa que é incompatível com os bons modos, a falta de proporções, o ódio à moderação: é um ***non plus ultra***.

XXIII

O ideal ascético não só corrompe o bom gosto e a saúde, mas ainda algo mais, um terço, um quarto, um quinto e um sexto. Hei de me precaver de dizer em resumo o que ele estragou. Quando haverei de chegar a um fim. Não somente vou aqui ilustrar a **ação** deste ideal, mas apenas a sua significação, aquilo que ele devia decifrar, o que nele se oculta, dentro dele e sob ele, para o qual ele é a expressão má decifrada, sobrecarregada com interrogações e más compreensões. Mas somente com este fim devo apresentar aos meus leitores um resumo da sua ação nefasta, a fim de prepará-los para o último e mais formidável aspecto desta questão.

Que significa o poder monstruoso deste ideal? Por que gastou tanto terreno? Por que se lhe não opôs mais resistência? O ideal ascético imprime uma vontade. Onde está a vontade de um ideal adverso? O ideal ascético tem um fim tão amplo, que compreende, em si, todos os fins da existência humana, que medida nele, aparecem pequeninos e estreitos; para conseguir este fim, empregam-se tempos, povos e homens; é fim exclusivo; não admite outra interpretação senão a sua (e houve alguma vez outra tão engenhosa?); não se sujeita a nenhum poder; crê, pelo contrário, na sua hegemonia; crê que todo o poder terreno lhe deve a ele o seu direito à existência, o seu valor, considera-o como instrumento para a sua obra, como meio e caminho para o seu fim, a um fim. Onde está a **antítese** deste sistema definido da vontade do objeto e da interpretação?

Por que falta esta antítese? Onde está o outro fim?... Dir-se-á que, efetivamente, **existe** e que não só lutou muito tempo contra este ideal, mas que o venceu em quase todos os casos; testemunha a nossa **ciência** moderna, que não tem fé senão em si mesma e que teve o valor de prescindir de Deus, do além e das virtudes negadoras. Entretanto, todo este ruído de agitadores não me impressiona; estes trombeteadores da realidade são maus músicos; a sua voz não sai clara do abismo, porque hoje a ciência é um abismo, a palavra ciência na boca desses trombeteadores é uma pouca vergonha. Ponde ao contrário o que eles dizem, e tereis a verdade; a ciência hoje não tem nenhuma fé em si mesma, nem aspira a um ideal; e onde ainda resta alguma coisa de paixão, de amor, de fervor, de dor, não é uma antítese do ideal ascético, mas, ao contrário, a sua forma **novíssima** e **mais nobre**. Parece-vos isto estranho? É verdade que há hoje entre os sábios alguns valentes e modestos trabalhadores, muito satisfeitos do seu canto estreito, e por se sentirem bem nele soltam às vezes um pouco imediatamente a exigência de que hoje se **devia** estar contente, principalmente na ciência, justamente até haveria tanto de útil a pagar. Não nego; por nada deste mundo eu quereria perturbar a felicidade. Mas pelo fato de se trabalhar severamente na ciência e que existem obreiros satisfeitos, de forma alguma se provou que a ciência como um todo tenha hoje a sua meta, uma vontade, um ideal, e uma paixão de grande fé, é o contrário o que existe onde ela não é a manifestação mais jovem do ideal ascético (caso muito raro) distinto e escolhido, é a ciência de hoje o refúgio do descontentamento, da incredulidade, dos remorsos, da *despectio sui*, da má consciência; é precisamente **a dor** que causa a falta de ideal, o sofrimento da **ausência** de amor, a carência da modéstia **involuntária**. Oh! Quantas coisas dissimula hoje a ciência! Pelo menos quanto **deve** esconder! Os cérebros dos nossos sábios mais eminentes, o seu cérebro que ferve dia e noite, as suas mãos, quantas vezes não têm outro fim senão fechar os olhos à evidência de certas coisas! A ciência como meio de uma pessoa se narcotizar, **conheceis isto**? Cada um que frequenta os doutos sabe disto, às vezes por meio de uma palavra inocente intrigam seus amigos doutos contra si, no mesmo momento quando se julgam sérios, fazem-nos ficar furiosos, fora de si, só pelo fato de terem sido grosseiros demais para adivinhar com quem propriamente se lida, isto é, com doentes, este é um sofredor que não querem confessar o que são, como atordoados inconscientes que só temem uma coisa: ver chegar a consciência.

XXIV

Examinemos agora estes casos excepcionais a que antes me referia, estes últimos idealistas que ainda hoje vivem entre os filósofos e doutos. Achar-se-ão porventura, entre eles, os **adversários** do ideal ascético, os **anti-idealistas** deste ideal? Estes descrentes efetivamente acreditaram em ser como tais, embora todos serem incrédulos; esta parece ser sua última fé de serem adversários deste ideal; profunda é a sua convicção, sua palavra, seu gesto. Mas será **verdade** o que eles creem?... Nós, que procuramos o conhecimento, desconfiamos de toda a crença, o que nos acostuma a tirarmos conclusões diversas do que antigamente se conhecia, onde vemos uma crença ela passa para primeira plana e mostra certa fraqueza em sua demonstração e certa inverosimilhança no que se crê. Não negamos que a fé "salva"; mas, por isto mesmo, negamos que a fé prove, demonstre algo; a fé forte que traz a salvação fará nascer suspeitas, em vez da verdade tem certa probabilidade, certa capacidade de embuste. Que sucede neste caso? Estes negadores, estes solitários, espíritos intransigentes que pretendem a pureza intelectual, espíritos duros, severos, abstinentes, heroicos, honra do nosso tempo, estes pálidos ateus, anticristos, imoralistas, niilistas, céticos, incrédulos, estes **raquíticos de espírito**, que hoje incarnam a consciência intelectual, estes pensadores livres, demasiado livres, creem-se apartados do ideal ascético; e, contudo, eu vou apontar-lhes uma coisa que eles não podem ver, porque não estão a necessária distância. Este ideal é justamente o ideal deles. E é que são precisamente a ciência dos representantes do ideal ascético na sua forma espiritualizada, são a sua vanguarda, o seu sofisma mais sedutor, mais delicado e sutil. Se eu sou um decifrador de enigmas de qualquer espécie, o que quer ser nesta frase: não, estes não são espíritos livres, porque estão amarrados **à verdade**...

Quando os cruzados se encontravam no Oriente com aquela invencível ordem dos assassinos (aretinos), com aqueles espíritos livres ***par excellence***, cujos filiados viviam na mais estreita obediência como nenhuma outra ordem de inimigos, algumas indicações acerca do seu pasmoso símbolo e aquela frase de senha para os graus superiores e toda como seu segredo: "Nada é verdadeiro, tudo é primitivo". Esta era a verdadeira **liberdade** de espírito, com isso a verdade denunciou-se à fé. Penetrou algum espírito livre europeu no labirinto das suas consequências? Conhece **por experiência** o minotauro desta caverna?... Duvido, ou, dizendo melhor, sei que não: nada é mais estranho a esses incondicionais **numa coisa**, este chamado espírito livre, e nada lhes é mais estranho do que a liberdade e direcionadamente naquele sentido, e sem nenhum sentido são mais firmemente amarrados, sobretudo na fé de verdade, são justamente eles como mais ninguém, firmes e incondicionais. Sei, e muito bem: a louvável abstinência filosófica que ordena tal fé, o estoicismo intelectual que proíbe severamente, tanto o "sim" como o "não"; esta imobilidade consciente diante da realidade, diante do ***factum brutum***, do fatalismo dos "Petits faits" (esse *petit faitalisme*, como eu o chamo) com o qual a ciência francesa procura agora uma espécie de supremacia moral sobre a alemã, esta renúncia a toda a interpretação (i. é, a violentar, ajeitar, abreviar, a omitir tudo isto assim em conjunto), é uma expressão de ascetismo da virtude, enquanto nega a sensualidade no fundo é somente o modo desta negação. E a força que leva a este ascetismo, esta vontade absoluta da verdade, é a fé no ideal ascético em si mesmo, embora com seu imperativo inconsciente, não se engane a respeito deste ponto, é a fé no valor metafísico, no valor em si da verdade, valor que o ideal ascético garante e consagra, ele fica em pé e vai com aquele ideal. Em boa lógica, não há ciência incondicional; tal ciência é absurda, paralógica; a ciência supõe uma filosofia, uma "fé" que lhe dê direção, finalidade, limite, método, direito à existência. (O que quer fundar a filosofia numa base sinceramente científica, não se põe a filosofia como a verdade de pernas para o ar, grande falta de respeito a mulheres tão veneráveis.)

Não há nenhuma dúvida e aqui deixo a palavra à minha *Gaia Ciência* (livro V, p. 275):

> O homem verídico, verídico até ao extremo que supõe a fé na ciência, afirma **por isso mesmo** a sua fé noutro mundo distinto da vida, da natureza e da história; e à medida que afirma esse outro mundo, não deverá negar o seu antagônico, e seu mundo, o nosso mundo, este mundo? [...] Sempre é ainda uma fé metafísica, na qual se baseia nossa fé na ciência, também nós os conhecedores de hoje, não ateus, e antimetafísicos também tomamos nosso fogo daquele grande incêndio, aceso por uma fé milenar, aquela fé cristã que também era a fé platônica: que Deus é a verdade e que a verdade é divina [...]

Mas como havia de ser, se justamente isso cada vez se torna menos digno de fé, se nada mais se demonstra, a cegueira e o erro, e a mentira e que Deus é a nossa mentira mais duradoura? Aqui convém fazer uma pausa e meditar longamente.

A ciência necessita de uma justificação (não quer dizer que exista uma justificação para ela). Perguntai às filosofias antigas e mais modernas; nenhuma se lembra de que a vontade da verdade necessita justificação; em todas há esta lacuna. Por quê? É que o ideal ascético **dominou** em todas as filosofias, e a verdade foi posta como essência, como Deus como instância suprema e de forma alguma podia ser problema. Compreende-se esse poder ser? Desde o momento em que se nega a fé no Deus do ideal ascético, há um novo problema, isto é, do valor da verdade. A vontade da verdade necessita de uma crítica; é preciso pôr em dúvida o valor da verdade para experimentar [...] (Para maior explicação, veja-se o parágrafo de *Gaia Ciência*: "Até que ponto somos piedosos", aforismo 344, ou, melhor ainda, o livro V dessa obra, e também o prefácio de *Aurora*).

XXV

Não me venham com a ciência, quando procuro o antagonismo natural do ideal ascético, quando pergunto: "Onde está a vontade adversa, na qual se exprime o ideal adverso?"

Para esse ofício não é a ciência bastante autônoma e firme em si mesma, pois também ela necessita de um ideal de valores, de um poder que cria valores, em cujo ofício justifique a sua fé em si mesma. Ela nunca é criadora de valores. As suas relações com o ideal ascético não têm o caráter do antagonismo; são antes a evolução interna deste ideal. Sem contradição a sua luta refere-se, examinados mais, sutilmente, de modo algum ao ideal mesmo, porém somente às suas partes externas, sua vestimenta, sua máscara e seu endurecimento por algum tempo, errada dogmatização, ela torna nele a vida novamente livre, negando-lhe o exotérico. A ciência e o ideal ascético vivem no mesmo terreno, já uma vez o dei a entender, são ambos uma exageração do valor da verdade ou, para falar melhor na mesma fé da invariabilidade e da incriticabilidade da verdade; por isso são necessariamente aliados; por isso é preciso combatê-los juntos; por isso se defendem juntos. Uma apreciação do valor do ideal ascético implica inevitavelmente também uma apreciação de valor da ciência; por isso abram-se os olhos em tempo, preparem-se os ouvidos! A arte, seja dito de passagem, pois volverei mais explicitamente a este tema, a arte ao santificar a mentira e a vontade do falso, ao ter ao seu lado a vontade de enganar, é mais oposta ao ideal ascético que a ciência; já o adivinhou Platão, e por isso foi o maior inimigo da arte que a Europa produziu até hoje. Platão contra Homero; eis um antagonismo completo, real. Ali, o defensor mais voluntarioso do "além", o grande caluniador da vida, e o divinizador involuntário da **natureza áurea**.

Por isso a vassalagem de um artista ao ideal ascético é a da corrupção mais própria que pode existir e infelizmente uma das mais comuns, porque nada é mais fácil de corrupção que o artista. Ainda no terreno fisiológico, a ciência se apoia nas mesmas bases que o ideal ascético: ambos são um **empobrecimento da energia vital** – a mesma tibieza das paixões, a mesma lentidão na marcha, a dialética em lugar do instinto, a gravidade impressa no semblante e nos gestos a seriedade (sinal infalível do metabolismo penoso das funções vitais). Vede na evolução de um povo, as épocas em que predomina o sábio: são as épocas de fadiga, de crepúsculo, de decadência, já não há energia nem certeza de vida ou de futuro! A supremacia do mandarim nunca significa algo de bom, também o advento da democracia, os tribunais de arbitragem, a emancipação da mulher, a religião do sofrimento e da compaixão - são sintomas de uma vida que declina. A ciência tornada problema - que significa ciência? Veja-se o prólogo da *Origem da tragédia*.

Esta "ciência moderna"- reparem bem - é por enquanto melhor auxiliar do ideal ascético, por ser a mais inconsciente, a mais involuntária, a mais oculta e a mais subterrânea. Os "pobres de espírito" e "antagonistas científicos desse ideal" desempenharam sempre o mesmo papel. Precavenha-se de pensar que esses sejam seus antídotos, talvez como os ricos de espírito, isso eles não são, eu os chamarei de "éticos de espírito". Estas famosas vitórias dos homens de ciência, não há dúvida que são vitórias, mas vitórias sobre o quê?

O ideal ascético absolutamente não foi vencido, mas fortalecido, incompreendido, espiritualizado, polido, aformoseado, a nova conquista da ciência, que sempre foi demolido e demolido por parte da ciência impiedosa, um muro, uma obra externa que construirá em si mesmo e que tornam seu aspecto mais grosseiro. A falta da astronomia teológica, por exemplo, uma derrota do ideal ascético?... Destruiu a vontade de resolver além do enigma da vida? Será que com isso o homem se tenha tornado desde então menos voluntarioso, menos benigno, menos vagabundo, menos dispensável na ordem visível das coisas? Não progrediu de Copérnico para cá. A fé em sua dignidade, em ser único, em sua intuibilidade na sequência dos valores vivos desapareceu - tornou-se um, sem comparação, sem diminuição, sem reserva, ele que crê em sua crença. ("Filho de Deus", "Deus feito homem"?)...

Desde Copérnico que o homem alcançou um plano inclinado, que rola pelo declive; para onde? Para o nada? Para a sensação que ele penetra de seu nada? Mas isto é o verdadeiro caminho para o ideal **antigo**... Todas as ciências e não só a astronomia, aniquiladora do homem, segundo a notável confissão de Kant, ela prejudica a impressão de mim mesmo, todas as ciências naturais ou **antinaturais** – assim chama a crítica da razão por si mesma – trabalham hoje por destruir o antigo respeito de si mesmo e por honrar o seu ideal austero e rude de ataraxia estoica, por dar culto ao dificilmente obtido desprezo desprezível de si mesmo. Realmente: pois o despeitado, sempre alguém que não desaprendeu o respeito. Mas é isto **trabalhar contra** o ideal ascético? Julga-se a sério (como julgavam os teólogos) que a **vitória** de Kant sobre a dogmática da concepção religiosa (Deus, alma, liberdade, imutabilidade) prejudica este ideal.

Deixemos de parte a questão de saber se Kant teve alguma vez desejo de prejudicar. O que é certo é que todos os filósofos transcendentes, depois de Kant, emanciparam-se da tutela teológica. Que fortuna! Kant apontou-lhes um caminho para que pudessem satisfazer com ar científico "os desejos do seu coração". Da mesma forma: Para que censurar os agnósticos, se, cheios de veneração pelo desconhecido, pelo mistério, adoram o sinal de interrogação como Deus? (Xavier Doudan fala das ***ravages*** que produziu **"l'habitude d'admirer l'ininteligible au lieu de rester tout simplement daus l'inconnu"** e crê que os antigos não conheceram este abuso.)

Se supomos que o conhecimento do homem, longe de satisfazer os seus desejos, os contraria, os arrepia, não é uma escapatória verdadeiramente divina o lançar a culpa, não aos desejos, mas ao próprio conhecimento? "Não há conhecimento"; **logo** há Deus; que nova ***elegantia syllogismi!*** Que triunfo do ideal ascético!

XXVI

Tomará algum dia a história moderna melhor atitude ante a vida e o ideal? A sua pretensão suprema é a de ser um espelho; repele toda a teologia; não quer já **provar** nada; não quer ser juiz: nisto julga mostrar o seu bom gosto; nem afirma nem nega; faz constar, "descrever"... Mas tudo isto é ascético em alto grau, é niilismo, num grau mais elevado. E sobre isto ninguém se engane. Note-se no observador um olhar triste, duro, resoluto: **olhar para o longe**, muito longe como olhar um solitário viajante do Polo Norte, talvez para não olhar para dentro, para não olhar para trás. Não vê mais do que neve; não há vida; as gralhas dizem: "E para quê?" Em vão!

"Nada". Nada cresce; talvez a metapolítica de Petrogrado e a compaixão de Tolstoi. E nesta outra variedade de historiadores "mais moderna" ainda, sensual e voluptuosa, que namora a vida e o ideal ascético, que se serve da palavra "artista" como de uma luva branca e que monopoliza hoje o panegírico da vida contemplativa, oh! Quanta sede nos causam esses açucarados intelectuais dos antigos ascetas e das paisagens hibernais! Para o diabo todos estes contemplativos! Prefiro os niilistas históricos, brumosos e frios. E prefiro ainda um espírito anti-histórico ou contra-histórico, como aquele Dürhing, que ainda hoje na Alemanha inflama as espécies de almas belas, a ***species anarchistica*** no meio do proletariado culto.

Estes contemplativos são cem vezes piores! Que nojo me causam estes pisa-verdes históricos, geradores perfumados ante a história, meio sacerdotes, meio sátiros, a Renan, que com a vozinha aguda das suas homílias demonstram o que lhes falta, onde lhes falta, demonstram onde as tesouras das Parcas exerceram o seu cruel ofício! Isto me vai contra o gosto, contra a paciência. Estes eunucos exasperam-me! Estes comediantes me irritam mais do que a própria comédia, mais do que a história! Fantasias anacreônticas sobem-me ao cérebro.

A mãe natureza, que deu ao touro os cornos e ao leão a χάσὐ ὀδόντων, para que me deu a mim a ponta dos pés? Para dar pontapés como Sr. Anacreonte! Não somente para correr, para pisar as comodidades desencorajadas dos eunucos voluptuosos da história, do namoro com os ideais ascéticos, da "tartuferia" justiceira da impotência! Todo o meu respeito ao ideal ascético enquanto é ele honesto e não nos engana com bobagens! Não gosto dessas "coquetes", desses caiados por fora que representam o teatro da vida, não gosto dos cansados nem dos gastos que se encobrem na sabedoria e olham de modo "objetivo"; eu não aturo esses agitadores que são adornados como heróis, que trazem em roda de sua cabeça cheia de palha um ideal que os torna invisíveis. Não gosto dos artistas ambiciosos que têm vontade de parecer um atleta e um sacerdote, e no fundo são palhaços trágicos. Também não gosto desses especuladores do idealismo, os antissemitas, que hoje em dia revolvem os olhos de modo cristão e íntegro e que procuram por um falso uso que liquida com a paciência, de modo mais barato da agitação, isto é, da atitude moral, isso instiga todos os elementos bovinos do povo que toda a espécie de mentira espiritual na Alemanha hodierna não fique sem resultado, isto fica como consequência da esterilidade inegável e já palpável do espírito germânico, cuja causa eu procuro numa alimentação muito exclusiva com jornais, política, cerveja e música wagneriana, adida ao que resulta da predisposição dessa dieta: uma vez, o arrocho nacional, a supremacia, o princípio robusto, porém estreito do "*Deutschland, Deutschland über alles*", a ***paralysis agitans*** das ideias modernas. A Europa hoje é rica e inventiva, principalmente em meio à agitação. Parem, que não necessita. **Nada** mais que ***stimulantia*** e aguardente; daí vem a imensa falsificação dos ideais, essas aguardentes de espírito, daí vem também o ar asqueroso, mal cheiroso, mentiroso e pseudoalcoólico em toda a parte. Eu queria saber quantos carregamentos de navios de idealismo copiado, de vestimenta de heróis e de folhas de Flandres de grandes palavras, quantas toneladas de compaixão adocicada, espirituosa (***La Religion de la souffrance***) quantas pernas artificiais de "nobre estranhamento" para auxiliar dos pés chatos espirituais, quantos comediantes do ideal cristão moral deviam ser exportados hoje da Europa, para que o seu ar se tornasse mais puro... Visivelmente está aberta a essa superprodução, uma nova possibilidade de comércio. Visivelmente é possível fazer um novo "negócio", com os deuses falsos do pequeno ideal e os "idealistas" que a ele pertencem – não se deixe de escutar a essa indireta! Quem é que tem suficiente coragem para isso! Nós temos na mão a coragem de "idealizar" a terra inteira!... Mas o que eu falo de coragem: aqui só é necessária **uma** coisa, justamente a mão, mão ingênua, muito ingênua...

XXVII

Basta! Basta! Deixemos estas curiosidades e complexidades do espírito moderno, onde tanto achamos o que rir quanto o que chorar!

O nosso problema, problema da importância do ideal ascético, pode passar sem elas! O que têm as coisas de ontem com as de hoje? Tratarei delas mais detidamente noutro estudo com o título de ***História do niilismo europeu***, e pode consultar-se uma obra que estou preparando [sic] (***A vontade de potência – Ensaio de uma transmutação de todos*** *os valores*). Por agora, por mim, basta indicar que o ideal ascético, ainda nas mais altas esferas da inteligência, só tem uma espécie de inimigos: os comediantes deste ideal. Eles despertam desconfianças. Em toda parte onde o espírito hoje está trabalhando com serena energia e com probidade, dispenso de qualquer modo esse ideal – a expressão popular para essa abstinência é "Ateísmo" – descontando sua vontade para a verdade.

O ateísmo é também uma vontade, um resto de ideal ascético, a forma mais severa, mais espiritualizada, mais esotérica e totalmente esotérica mais pura de seu tempo.

O ateísmo absoluto, leal (**única** atmosfera que respiramos gostosamente), é a última fase da evolução ascética, uma das suas formas finais, uma das suas consequências lógicas íntimas; é a imponente **catástrofe** de uma disciplina vinte vezes secular do instinto de verdade, que, no fim e ao cabo, proíbe a si mesmo a **mentira da fé** em Deus. (Na Índia se verificou a mesma evolução, o que demonstra em algo a minha tese; ali o mesmo ideal chegou à mesma conclusão, cinco séculos antes da era cristã, com a filosofia ***sankhya***, popularizada mais tarde e erigida em religião por Buda.)

Quem foi que **ganhou a vitória sobre o Deus cristão**? A resposta acha-se na minha *Gaya Ciência*, p. 252: "A moral cristã; a noção de sinceridade aplicada com rigor crescente: a consciência cristã aguçada nos confessionários e transformada em consciência científica, em intransigente pureza intelectual; o considerar a natureza como se fosse uma prova de bondade e providência divinas; o interpretar a história em honra de uma razão divina e como prova constante de um finalismo moral; o interpretar o nosso destino do modo como o fizeram os homens piedosos vendo em tudo a mão de

Deus e o bem da nossa alma; tudo isso agora terminou: são modos de pensar antigos, contra os quais se ergue a voz da nossa consciência, como inconvenientes, desonestos, mentirosos, afeminados, covardes; e esta severidade de consciência é a que nos faz bons europeus herdeiros da mais valiosa vitória que a Europa conseguiu sobre si mesma...

Todas as grandes coisas perecem por si mesmas, por autossupressão; assim o quer a lei da vida, a lei de uma fatal vitória sobre si mesmo, a lei que diz ao legislador: ***patere legem, quam ipse tulisti***. Assim o cristianismo enquanto **dogma** foi arruinado pela sua moral; e pressentimos que o cristianismo enquanto **moral** há de arruinar-se também. Estamos no limiar desse acontecimento: o instinto cristão em verdade, de dedução em dedução, há de chegar finalmente a estabelecer este problema: **Que significa a vontade da verdade**?... E aqui estou no meu problema, no nosso problema, meus amigos desconhecidos! (Porque não conheço ainda nenhum amigo); que seria para nós a vida inteira se esta vontade da verdade não tomasse em nós consciência de si mesma enquanto problema?

A vontade da verdade, uma vez que seja consciente de si mesma, será sem dúvida a **morte** da moral; é o espetáculo grandioso reservado aos dois próximos séculos da história europeia; espetáculo terrível entre os terríveis, mas talvez fecundo de magníficas esperanças.

XXVIII

Se abstraímos o ideal ascético, vemos que o homem não teve até agora finalidade alguma. A sua existência sobre a terra carece de objetivo.

"Para que existe o homem?" Eis uma pergunta sem resposta; o homem e a terra não tinham liberdade; em cada passo do destino humano ressoava este refrão: "Em vão!" Eis a finalidade de todo o ideal ascético; queria dizer que em volta do homem havia uma imensa **lacuna**; não sabia justificar-se a si mesmo, interpretar-se, afirmar-se; sofria ante o problema dos seus sentidos.

E sofria de muitas maneiras: era antes de tudo um animal **doente**, o seu problema, porém, não era a dor, mas porque faltava a resposta à pergunta: Por que sofrer?

"O homem, o animal mais valoroso e enfermiço, não repele a dor, antes a procura, contanto que lhe digam o porquê."

Esta falta de finalidade na dor é a maldição que pesou sempre sobre a humanidade. Agora bem: o ideal ascético apresenta uma finalidade.

Era a única; alguma coisa é melhor do que nada; no ideal ascético era o "*faute de mieux*" *par excellence*. Ele explicava a dor; enchia um imenso vácuo; fechava a porta ao suicídio do niilismo. A interpretação que dava da dor trazia uma dor nova mais profunda, mais íntima, mais enevoada; disse que era o castigo de uma falta... Mas, apesar de tudo, o homem alcançava uma finalidade, tinha algum sentido, não era já a folha levada pelo vento, o ludíbrio do acaso cego; podia querer para diante alguma coisa, fosse o que fosse; **estava salva a vontade**. Não pode negar-se a natureza desta direção ascética; este ódio a tudo quanto era humano, quanto era animal, a tudo quanto era material, este horror aos sentidos, à razão, à felicidade, à saúde, à beleza, à força, à mudança, ao movimento, à morte, à vontade, ao esforço, ao desejo: tudo isto significa uma **vontade para o nada**, uma hostilidade à vida, uma negação das condições fundamentais da existência; mas era ao menos **uma vontade**!...

Repito o que a princípio disse: O homem deve preferir a **vontade do nada a nenhuma vontade**.